S0-ACB-037
VITA D'ARTISTA
LEONARDO

LEONARDO

ENRICA CRISPINO

In copertina e in apertura:
Annunciazione (1475-1480),
particolari, Firenze, galleria degli Uffizi.
In controfrontespizio:
Autoritratto (dopo il 1515), Torino, Biblioteca reale.

Un ringraziamento a Carlo Pedretti per la cortese disponibilità
e i preziosi suggerimenti (*E. C.*).

Responsabile editoriale
Claudio Pescio

Progetto grafico
Fabio Filippi

Redazione e impaginazione
Barbara Giovannini, Paola Zacchini

Ricerca iconografica
Cristina Reggioli

www.giunti.it

Prima edizione: marzo 2002
Seconda edizione aggiornata: aprile 2005

Ristampa	Anno
6 5 4 3 2 1 0	2008 2007 2006 2005

Stampato presso Giunti Industrie Grafiche S.p.A. - Stabilimento di Prato

SOMMARIO

Atto di nascita

1452
1468

Qui sopra:
Giorgio Vasari, *Ritratto di Leonardo*, da *Le Vite*, edizione del 1568.
In alto:
casa di Leonardo da Vinci ad Anchiano (frazione di Vinci, Firenze).
Al centro:
il Museo leonardiano nel castello Guidi, Vinci (Firenze).

Qui sopra:
sigillo del Comune di Vinci (XIV secolo), Firenze, Museo nazionale del Bargello.

Nelle pagine 8-9:
Paesaggio (1473), particolare, Firenze, Uffizi, Gabinetto dei Disegni e delle Stampe.

I PRIMI ANNI

È la notte del 15 aprile 1452. A Vinci, un borgo immerso nel verde delle colline toscane tra Firenze e Pistoia, una donna sta per partorire. Si chiama Caterina e non è sposata. Il padre del bambino è ser Piero da Vinci, venticinquenne, di professione notaio, come vuole la tradizione di famiglia, una delle più antiche e più in vista del luogo, notai da generazioni e proprietari di terreni e di immobili in paese e nelle sue adiacenze. Secondo il calcolo dell'epoca, che contava le ore notturne a partire dal tramonto, sono le 3 di un sabato – ovvero l'ora terza dopo le 19 – quando Caterina dà alla luce suo figlio Leonardo in una casa della frazione di Anchiano. Sono dunque le 22 per il computo moderno. L'evento è puntualmente registrato dal nonno paterno del neonato, ser Antonio da Vinci: «Nachue un mio nipote, figliuolo di Ser Piero mio figliuolo, a dì 15 d'aprile, in sabato a ore 3 di notte. Ebbe nome Lionardo. Batizollo prete Piero di Bartolomeo da Vinci, Papino di Nanni Banti, Meo di Tonino, Piero di Malvolto, Nanni di Venzo, Arigho di Giovanni Tedescho, monna Lisa di Domenicho di Brettone, monna Antonia di Giuliano, monna Niccholosa del Barna, mon[n]a Maria, figliuola di Nanni di Venzo, monna Pippa di Previchone».

La presenza di ben cinque padrini e di altrettante madrine di un certo rango al battesimo di Leonardo conferma che la nascita di un figlio illegittimo non doveva costituire un problema per quei tempi, quando in effetti perfino il papa – si pensi a Cesare e Lucrezia Borgia, figli di Alessandro VI – generava figli naturali che nemmeno tentava di tenere segreti.

Difatti il piccolo Leonardo viene tranquillamente riconosciuto da ser Piero e va a vivere col padre nella casa di famiglia dei da Vinci dove trascorre l'infanzia e l'adolescenza. Senza che però ci sia il "lieto fine" del matrimonio dei suoi genitori. Probabilmente perché Caterina era una donna di ceto sociale inferiore, forse a servizio in casa da Vinci. E dunque viene allontanata, ma senza drammi, anzi, poco dopo dopo si sposa con Antonio di Piero Buti del Vacca da cui avrà altri cinque figli. Con soddisfazione generale, si direbbe, visto che la fornace del convento di San Pier Martire dove il marito di Caterina lavora sarà poi gestita proprio dal padre di Leonardo e dallo zio Francesco.

Da parte sua, anche ser Piero, a distanza di qualche mese dalla nascita del suo primo figlio, decide di farsi una famiglia rispettabile; così prende in moglie una sedicenne che discende da una ricca famiglia fiorentina, Albiera degli Amadori. Ma la giovane muore di parto nel 1464. Allora ser Piero si risposa con Francesca di ser Giuliano Lanfredini, ma anche la seconda moglie muore nel 1473 senza avergli dato figli. Ben sei bambini invece nascono dall'unione con Margherita di Francesco di Jacopo, e altri sette, infine, saranno frutto del matrimonio con Lucrezia di Guglielmo Cortigiani, sposata da ser Piero nel 1485.

Leonardo ebbe quindi tredici fratellastri e diverse matrigne con cui probabilmente fu in buoni rapporti, come tra l'altro sembra testimoniare l'appellativo di «cara mia diletta madre» che, ormai ultracinquantenne, l'artista riserva ancora all'ultima moglie di suo padre. Tuttavia, del periodo passato a Vinci e dei suoi familiari Leonardo non parla quasi mai nei suoi scritti, né si hanno riscontri documentari che permettano di ricostruire nei dettagli la sua vita e la sua formazione prima del suo ingresso nella bottega del Verrocchio a Firenze, città dove il genio adolescente si trasferisce con la famiglia nel 1468.

Un'informazione "per difetto" riguardo alla propria educazione è però Leonardo stesso a fornirla, accennando con rammarico nei suoi scritti alla sua condizione di «omo sanza lettere», ovverosia sprovvisto di un'adeguata conoscenza del greco e del latino, ritenuta all'epoca indispensabile per muoversi nel mondo della cultura ufficiale. A un tale limite della sua formazione, Leonardo cercherà di porre rimedio in età già adulta. A ogni modo, proprio lui sarà tra i primi a rivendicare l'importanza dell'esperienza nei confronti della teoria, della cultura pratica rispetto a

Qui sopra: veduta di Vinci (Firenze), paese natale di Leonardo.

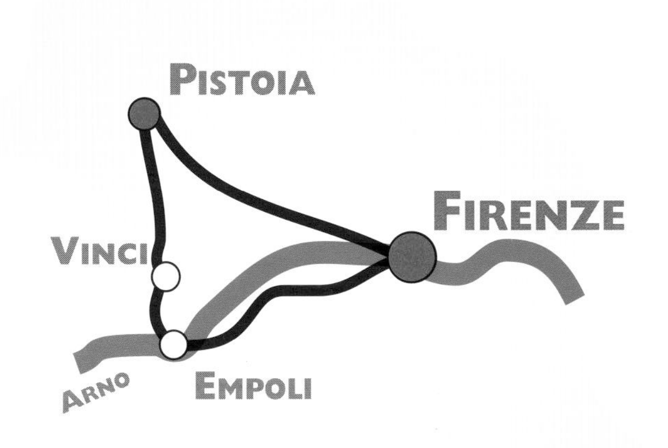

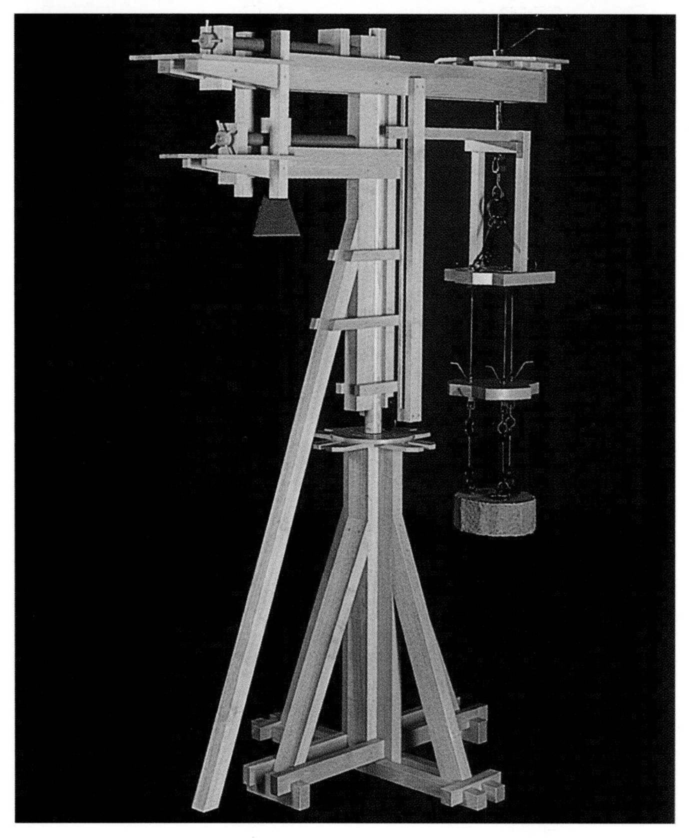

quella libresca, rifiutando l'"auctoritas", il principio di autorità legato ai grandi nomi della classicità. Ci sarà sempre in Leonardo una vena polemica contro l'insegnamento accademico e cattedratico e l'orgoglio dell'autodidatta che si è fatto con le sue mani. Un atteggiamento, questo, che forse si radica proprio negli anni della giovinezza a Vinci, in quel borgo rurale dove da ragazzo ha modo di vivere a stretto contatto con la natura e la cultura contadina, dove la sua stessa famiglia è proprietaria di poderi, di un mulino (dello zio Francesco) e di una fornace (del padre, ser Piero): luogo ideale, quest'ultimo, per avvicinarsi all'arte della ceramica che da alcuni indizi sembra essere un altro dei campi di interesse dell'eclettico artista. Ma gli anni di Vinci non devono avere educato il piccolo Leonardo unicamente all'amore e all'osservazione attenta della natura o alla giusta considerazione del ruolo dell'esperienza e della sperimentazione intesa come concreta messa in pratica di un'idea.

In effetti, quello che a prima vista potrebbe sembrare un paese piuttosto isolato e privo di stimoli culturali era probabilmente, già all'epoca, tutt'altro che fuori dal mondo. Intanto città come Firenze, Empoli, Pisa e Pistoia non erano poi così distanti neppure allora, prova ne sia che il padre di Leonardo era continuamente a Firenze per lavoro e che importanti famiglie e istituzioni fiorentine avevano affari e interessi a Vinci. Poi, il paese non si trovava in un'area qualsiasi, né era un'epoca qualsiasi quella in cui viveva Leonardo. Si trattava infatti della Toscana del Quattrocento, ovvero della terra culturalmente più all'avanguardia del momento, con Firenze che all'epoca si imponeva né più né meno che come il centro del mondo conosciuto, la culla di quel fermento di idee e nuove realizzazioni che sarebbe passato alla storia col nome di Rinascimento italiano. E l'eco di queste novità giungeva sicuramente fino a Vinci influenzando le manifestazioni artistiche locali, come è per esempio testimoniato dalla scultura della *Maddalena* nella chiesa di Santa Croce, di chiara ascendenza donatelliana.

Ma come si è già detto, sugli anni del primissimo apprendistato di Leonardo nel paese natale si sa poco o niente. Né sono di maggiore aiuto le più antiche biografie sull'artista, peraltro non sempre attendibili. La prima è quella del cosiddetto Anonimo Gaddiano, come è chiamato l'ignoto fiorentino che scrisse alcune biografie di scultori e pittori attorno al 1540, cioè a distanza di appena più di vent'anni dalla morte di Leonardo nel 1519. Poi ci sono le *Vite de' più eccellenti architetti, pittori et scultori italiani da Cimabue insino a' tempi nostri* di Giorgio Vasari, la cui prima edizione è del 1550. Nella *Vita di Leonardo*, che tra l'altro si rifà proprio all'Anonimo Gaddiano, Vasari accenna in modo piuttosto vago alla primissima educazione dell'artista a Vinci: «Veramente mirabile e celeste fu Lionardo, figliuolo di ser Piero da Vinci; e nella erudizione e principii delle lettere arebbe fatto profitto grande, se egli non fusse stato tanto vario e instabile, perciò che egli si mise a imparare molte cose, e cominciate poi l'abbandonava. Ecco nell'abbaco egli in pochi mesi ch'e' v'attese, fece tanto acquisto, che movendo di continuo dubbi e difficultà al maestro che gl'insegnava, bene spesso lo confondeva. Dette alquanto d'opera alla musica, ma tosto si risolvé a imparare a sonare la lira, come quello che da la natura aveva spirito elevatissimo e pieno di leggiadria, onde sopra quella cantò divinamente all'improvviso. Nondimeno, ben che egli a sì varie cose attendesse, non lasciò mai il disegnare ed il fare di rilievo, come cose che gli andavano a fantasia più d'alcun'altra».

Leonardo sapeva dunque già disegnare quando (come vedremo) entra alla bottega del Verrocchio a Firenze? E in questo caso ha imparato da solo o ha avuto un maestro? Questi interrogativi non hanno ancora trovato risposta. E la nebbia che avvolge l'alba del suo periodo di formazione aumenta per la mancanza di opere a lui attribuite fino al 1473, data del disegno con paesaggio conservato agli Uffizi di Firenze, che fu dunque eseguito quando Leonardo si trovava già da alcuni anni presso il maestro fiorentino e che resta fino a questo momento la sua prima opera autografa nota.

Dall'alto:
una sala del Museo leonardiano, Vinci (Firenze);
Paesaggio (1473), Firenze, Uffizi, Gabinetto dei disegni e delle stampe.

Qui sotto:
progetto di macchina, *Codice di Madrid I, 8937* (f. 7 r), Madrid, Biblioteca Nacional.

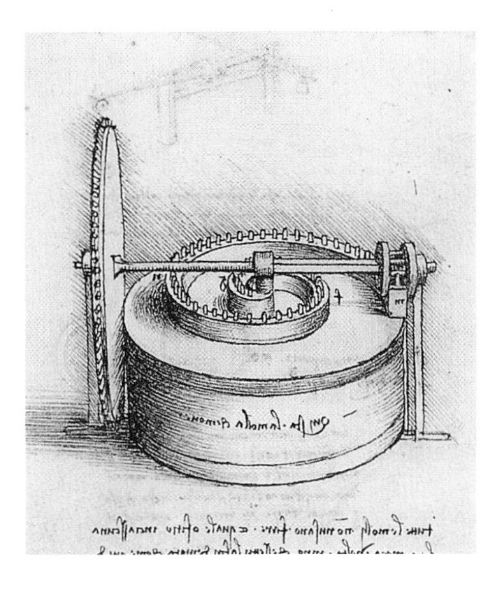

Nella pagina a fianco:
due ricostruzioni di macchine leonardesche, rispettivamente nel Museo leonardiano di Vinci e nel Museo di storia della scienza di Firenze.

A Vinci sulle tracce di Leonardo

Nessuna opera autografa di Leonardo è conservata nel paese che gli ha dato i natali. Vinci ha cercato di colmare questa lacuna dedicando al suo più illustre cittadino un importante museo che celebra e documenta ampiamente e con chiarezza la figura di Leonardo inventore, tecnologo e ingegnere. Fondato nel 1953, il Museo leonardiano è ospitato nel castello medievale dei conti Guidi. Articolato su tre piani, possiede una vasta raccolta di modelli di macchine leonardiane ricostruite sulla base dei disegni contenuti nei suoi codici autografi, in occasione del V centenario della nascita dell'artista e della mostra itinerante *Laboratorio Leonardo* (1983-1986) a cura della Ibm. Nella piazza antistante il castello, una grande scultura in legno dal titolo *L'uomo di Vinci*, realizzata da Mario Ceroli nel 1987, materializza un altro famoso studio leonardiano: il cosiddetto *Uomo vitruviano*, assunto come immagine simbolo del genio eclettico di Leonardo.

Ma oltre al fondamentale museo allestito nell'antica rocca, anche altre prestigiose istituzioni danno vita nel paese toscano a un vero e proprio percorso in onore di Leonardo. Innanzitutto, la Biblioteca leonardiana, completo e aggiornato centro di documentazione e di ricerca sulla complessa figura dell'artista rinascimentale. Aperta al pubblico nel 1928, ma costituitasi già a partire dal tardo Ottocento, offre un quadro esaustivo tanto della produzione manoscritta di Leonardo, qui conservata in facsimile, quanto delle pubblicazioni relative alla figura e al pensiero del geniale artista e del suo tempo uscite in tutto il mondo. Di recente fondazione è poi il Museo ideale Leonardo da Vinci di arte, utopia e cultura della terra, inaugurato nel 1993. Oltre a documenti e testimonianze di vario tipo, legate alla storia di Vinci e del suo territorio, vi trova posto un vasto assortimento di materiale proveniente da mostre tenutesi su Leonardo in Italia e all'estero e un'ampia documentazione sulla fortuna del personaggio e della sua produzione nel corso del tempo, con "omaggi" e "rivisitazioni" di artisti anche contemporanei.
A circa 3 km dal paese, nella frazione di Anchiano, si trova invece l'edificio indicato dalla tradizione come la casa natale di Leonardo. Visitabile dal 1952, la struttura è stata "riambientata" nel 1986. Se all'interno non è rimasto niente delle suppellettili originali, tuttavia il paesaggio circostante non ha perso niente del fascino e della dolcezza che Leonardo dovette avere sotto gli occhi. Ecco il motivo per cui si è ritenuto opportuno esporvi riproduzioni di vedute della campagna toscana e una mappa del Valdarno disegnate dal grande artista.
Nei pressi del castello è infine prevista la nascita di una nuova struttura destinata a ospitare la cosiddetta Leda di Vinci, una prestigiosa opera di scuola leonardesca realizzata tra il 1506 e il 1508.

Qui sotto:
le mura del castello Guidi a Vinci con la scultura di Ceroli sugli spalti.

Nella pagina a fianco:
Uomo vitruviano, studio di proporzioni con la figura umana inscritta nel circolo e nel quadrato (1490 circa), Venezia, Gallerie dell'Accademia.

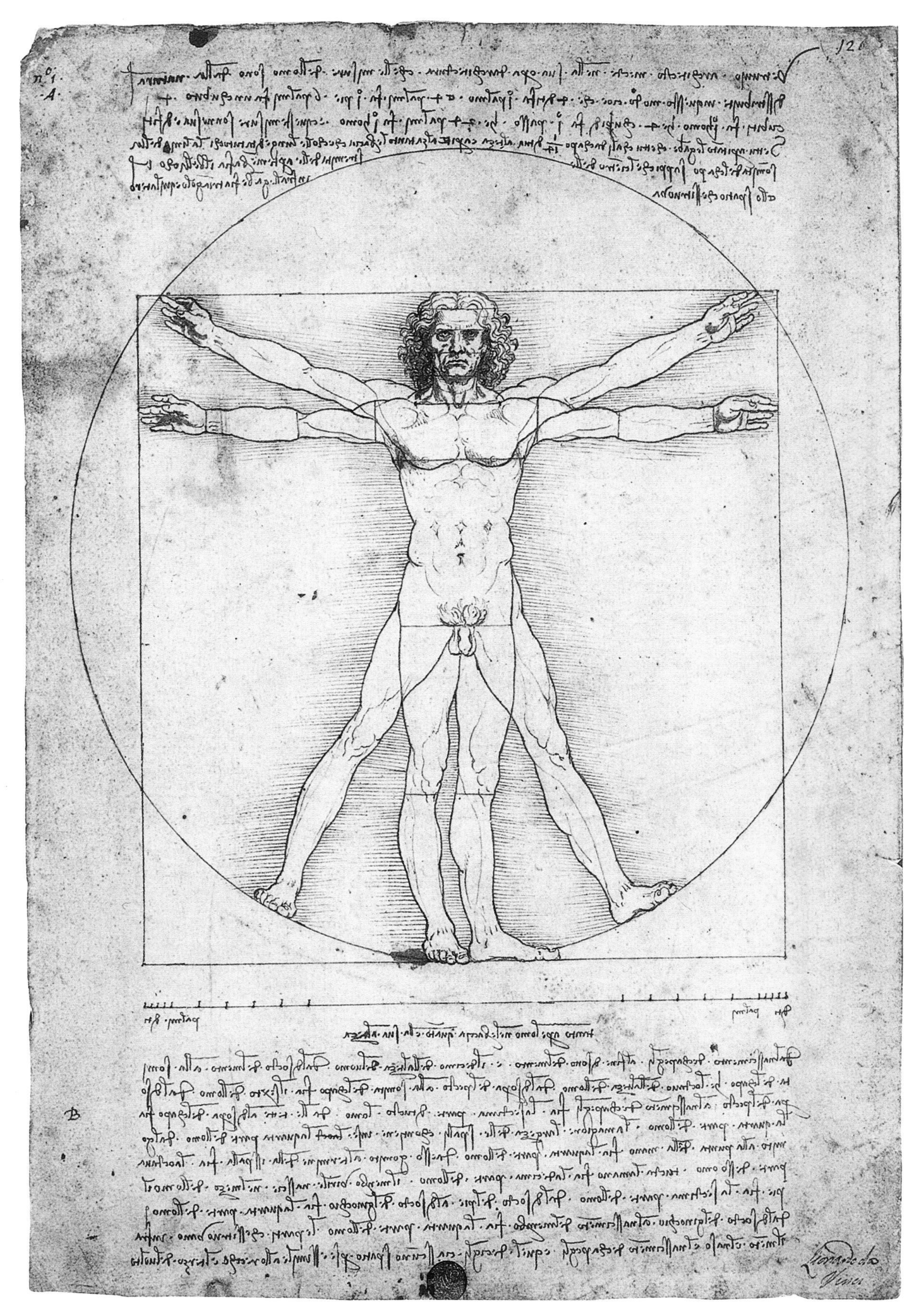

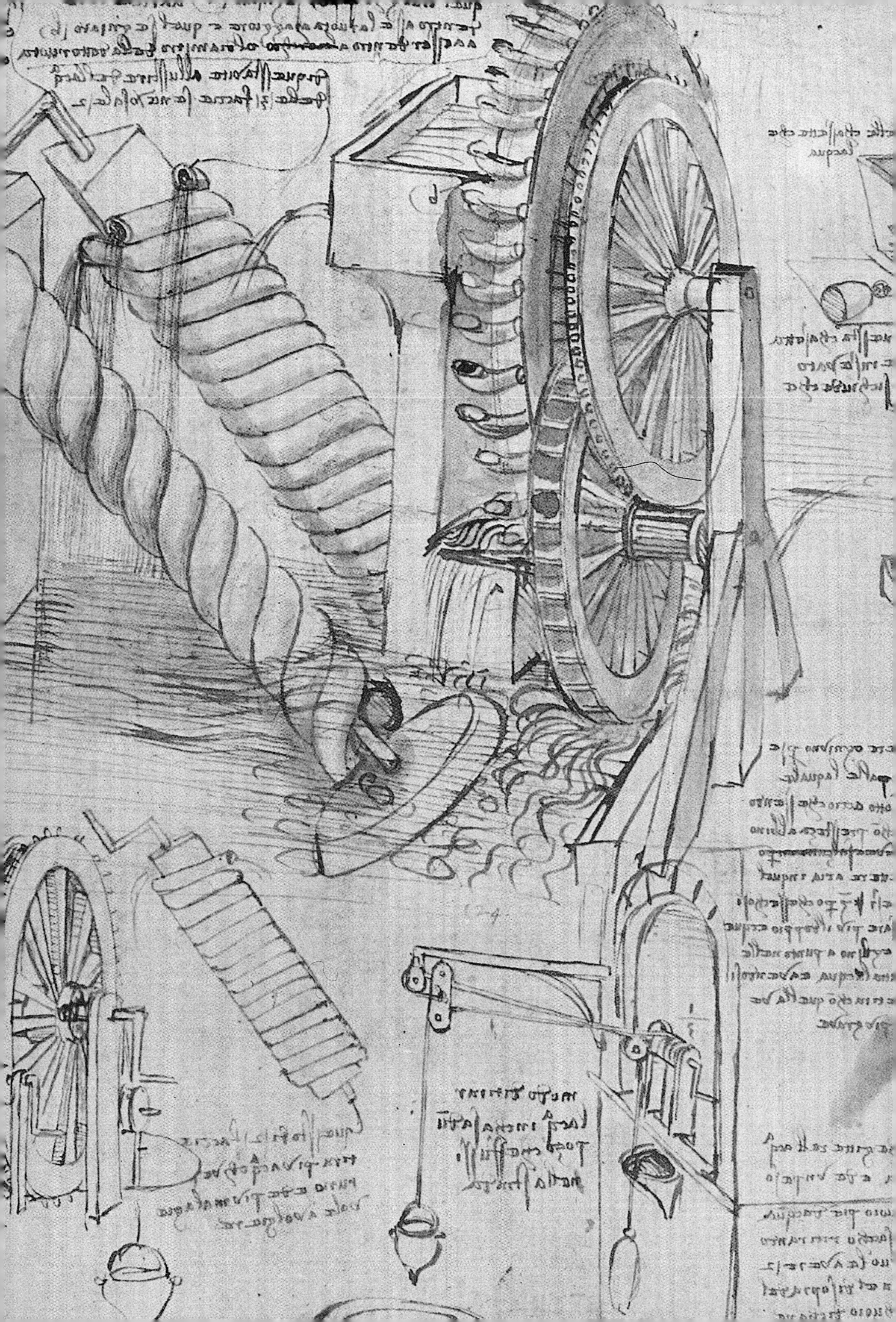

I codici

Tabella cronologica

* Codice Arundel:	1478-1518
* Raccolta di Windsor:	1478-1518
* Codice Atlantico:	1478-1518
Manoscritto B:	1487-1489
Codice Trivulziano:	1487-1490
Forster I:	1487-1490 e 1505
(rispettivamente la seconda e la prima parte)	
Manoscritto C:	1490-1491
Manoscritto A:	1490-1492
Madrid I, 8937:	1490-1499 e 1508
Madrid II:	1491-1493 e 1503-1505
(rispettivamente la seconda e la prima parte)	
Manoscritto H:	1493-1494
Forster III:	1493-1496
Forster II:	1495 e 1497 circa
(rispettivamente la seconda e la prima parte)	
Manoscritto M:	1495-1500
Manoscritto I:	1497 e 1499
(rispettivamente la seconda e la prima parte)	
Manoscritto L:	1497-1502 e 1504
Manoscritto K:	1503-1505 e 1506-1507
(rispettivamente la seconda e la prima parte)	
Codice sul volo degli uccelli:	1505
Codice Hammer:	1506-1508 e 1510
Manoscritto F:	1508
Manoscritto D:	1508-1509
Manoscritto G:	1510-1511 e 1515
Manoscritto E:	1513-1514

* *I fogli più antichi si trovano in raccolte miscellanee non realizzate da Leonardo e che quindi non possono essere classificate tra i manoscritti propriamente detti. Queste miscellanee sono perciò precedute da un asterisco, a indicare che aprono la cronologia del materiale contenuto nei codici leonardiani conosciuti, ma non quella dei codici veri e propri.*

A sinistra:
rilegatura originale del *Codice Atlantico* (XVI secolo), in pelle rossa con decorazioni in oro, cm 65 x 44; Milano, Biblioteca ambrosiana.

Nelle pagine 16-17:
viti di Archimede e pompe per sollevare l'acqua (1480 circa), particolare, *Codice Atlantico* (f. 26v).

Storia di una dispersione

Alla morte di Leonardo, nel 1519, praticamente tutti i suoi manoscritti – l'«infinità di volumi» visti da Antonio De Beatis nel 1517 – vengono ereditati da Francesco Melzi. Da Amboise il fido discepolo li riporta in Italia, nella sua villa di Vaprio d'Adda dove li conserva fino alla morte, nel 1570. Col figlio Orazio, disinteressato al prezioso lascito paterno, comincia invece la storia delle peripezie dei codici leonardiani – oggi ridotti a un quinto del materiale originario – con furti, sparizioni e colpi di scena. Nel 1585 ha luogo il primo furto di tredici manoscritti, rubati da un "insospettabile" di casa Melzi, Gavardi d'Asola. Tre anni dopo è la volta dell'"appropriazione indebita" da parte del canonico Ambrogio Mazenta e di suo fratello Guido. Quindi si arriva alla restituzione di sette dei manoscritti trattenuti dai Mazenta a Orazio Melzi e alla loro vendita a Pompeo Leoni, appassionato di Leonardo e scultore di corte a Madrid, dove i codici vengono trasferiti nel 1590. Da qui, alla morte di Leoni, nuova diaspora del materiale da lui raccolto. Alcuni codici, tra cui il *Codice Atlantico*, tornano in Italia, acquistati dal conte Galeazzo Arconati che nel 1637 li cede alla Biblioteca ambrosiana di Milano. Altri finiscono in Inghilterra, dove li porta Lord Arundel. Nel 1795, nuovo scossone nella geografia dei codici leonardiani con Napoleone, che trasferisce a Parigi gli autografi dell'Ambrosiana di Milano. Alla metà dell'Ottocento, le cose si complicano col "caso Guglielmo Libri", un funzionario delle biblioteche di Francia che riesce a sottrarre dai codici leonardiani conservati a Parigi diversi fogli – poi variamente recuperati – e a rivenderli in Inghilterra a Lord Ashburnham. Quanto al *Codice Hammer*, finito negli Stati Uniti, risulta estraneo all'eredità Melzi, poiché il suo primo proprietario noto è, nel 1537, lo scultore Guglielmo della Porta. Appartenuto nel Settecento al conte di Leicester, il codice fu messo all'asta nel 1980 e acquistato dal petroliere americano Armand Hammer. Tornato all'asta nel 1994, il codice è oggi proprietà di un altro famoso magnate americano, Bill Gates.

I codici di Leonardo

Provenienza vicende collocazioni

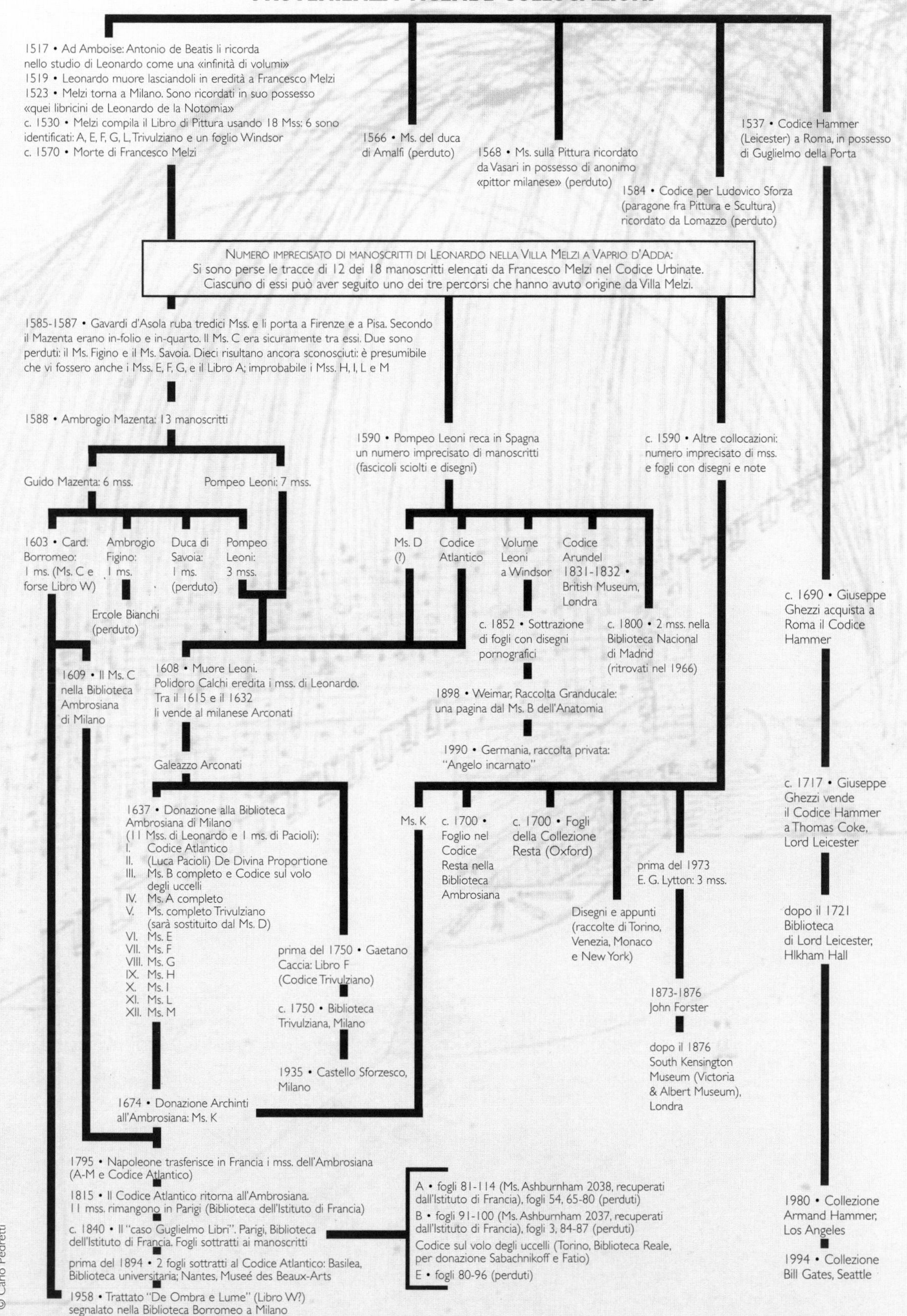

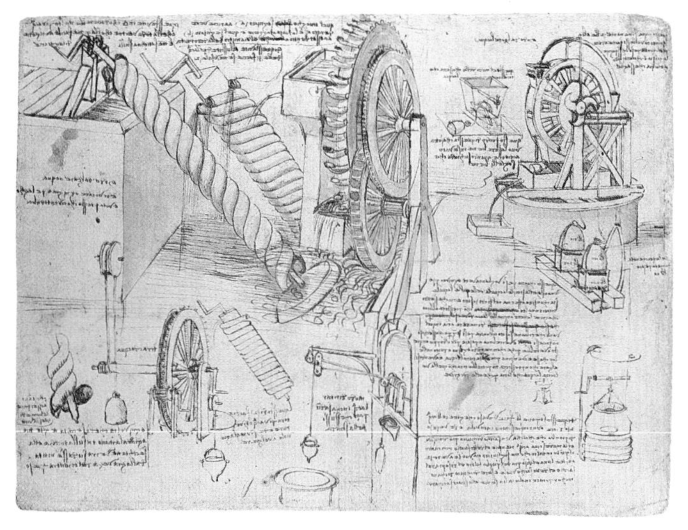

Qui sopra: viti di Archimede e pompe per sollevare l'acqua (1480 circa), *Codice Atlantico* (f. 26v).
A sinistra: figura virile drappeggiata (di uomo ebbro?) (1487-1490), *Codice Trivulziano* (f. 28r).

Nella pagina a fianco: macchina a mantice per sollevare l'acqua e uomo con prospettografo (1480 circa), *Codice Atlantico* (f. 5r).

Italia

Codice Atlantico
Milano, Biblioteca ambrosiana
401 fogli (cm 65 x 44); ricomposto dopo il restauro in 12 volumi di complessivi 1119 fogli. Si tratta di una raccolta miscellanea di materiale leonardiano non dovuta a Leonardo ma a Pompeo Leoni. Lo scultore e collezionista cinquecentesco incollò 1750 tra fogli e frammenti sparsi su pagine di grande formato poi rilegate in volume. Il nome del codice deriva appunto dalle grandi pagine da cui è composto, simili a quelle di un atlante. Da un punto di vista cronologico, il suo contenuto abbraccia un arco di tempo molto vasto, dalla giovinezza del maestro alla fine della sua vita, andando dal 1478 al 1518, e gli argomenti trattati sono tra i più eterogenei.

Codice Trivulziano
Milano, Biblioteca del Castello sforzesco
51 fogli (in origine 62), cm 20, 5 x 14 circa. Compreso nella donazione fatta dall'Arconati all'Ambrosiana nel 1637, fu forse ripreso dal conte in cambio dell'attuale *Manoscritto D* che passò poi in Francia con gli altri della biblioteca milanese. Dopo se ne perdono le tracce fino a Gaetano Caccia, il nuovo proprietario che nel 1750 lo cedette al principe Trivulzio. È datato al 1487-1490. Vi spiccano liste lessicali di latinismi, caricature e studi di architettura militare e religiosa.

Codice sul volo degli uccelli
Torino, Biblioteca reale
18 fogli, cm 21 x 15. Un tempo il codicetto era "cucito" all'interno del *Manoscritto B*. Con questa modalità passò dall'Ambrosiana all'Institut de France. Qui fu rubato da Guglielmo Libri che lo smembrò vendendone cinque fogli in Inghilterra, mentre il resto fu acquistato alla fine dell'Ottocento dal conte Giacomo Manzoni e quindi dal principe russo Teodoro Sabachnikoff che lo donò ai Savoia. Oggi di nuovo integro, il volumetto, in cui compare la data 1505, sviluppa appunto una serie di osservazioni sul comportamento in volo degli uccelli e relativi studi per una macchina volante.

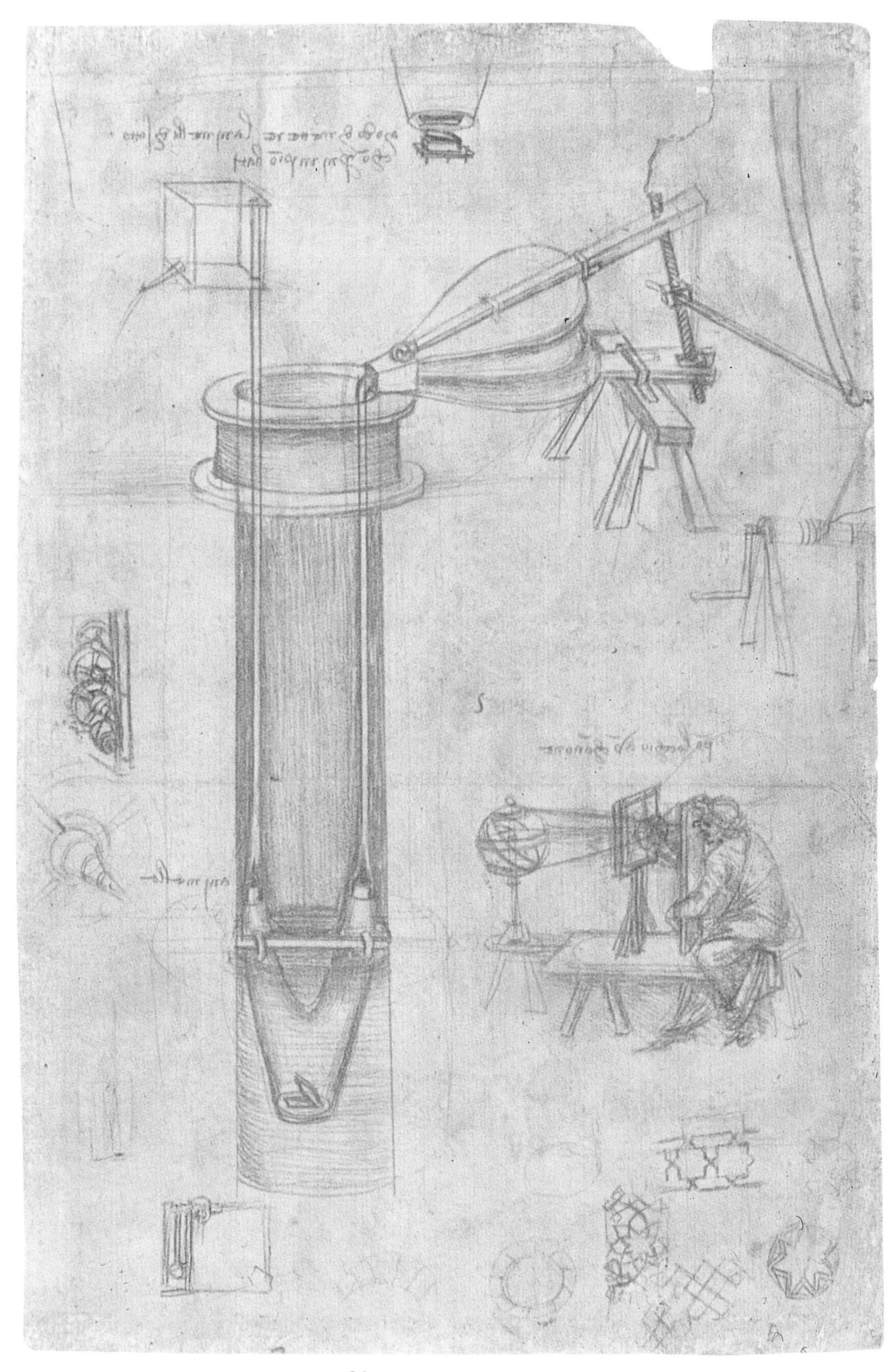

Francia

Manoscritti di Francia
Parigi, Institut de France
All'Institut de France si conservano i manoscritti un tempo collocati all'Ambrosiana di Milano – tutti tranne il *Codice Atlantico*, che ha fatto ritorno in Italia nel 1815 – che vennero trasferiti da Napoleone nella biblioteca francese l'anno 1795. In base alla segnatura di fine Settecento, i codici sono siglati con lettere dell'alfabeto dalla A alla M. Si tratta di volumi di piccolo formato, interessanti perché conservano fedelmente il modo tenuto da Leonardo nel compilarli. Oltre alla caratteristica scrittura a rovescio, da destra a sinistra, legata al fatto che il maestro era mancino, si notano anche l'abitudine di procedere dal fondo del libro verso l'inizio e la pratica di prendere appunti capovolgendo all'occorrenza i fogli. Dal punto di vista della stesura, si possono distinguere in questo gruppo due categorie di codici: una prima che comprende volumi dalla scrittura più ordinata, di solito a penna, la cui compilazione è probabilmente avvenuta in studio; una seconda che include libri più piccoli, scritti in modo frettoloso, spesso a matita rossa, che rimandano a un probabile impiego in situazioni precarie, per esempio in esterno.

Qui sotto, da sinistra:
Manoscritto K, Parigi, Institut de France;
Manoscritto I, Parigi, Institut de France.

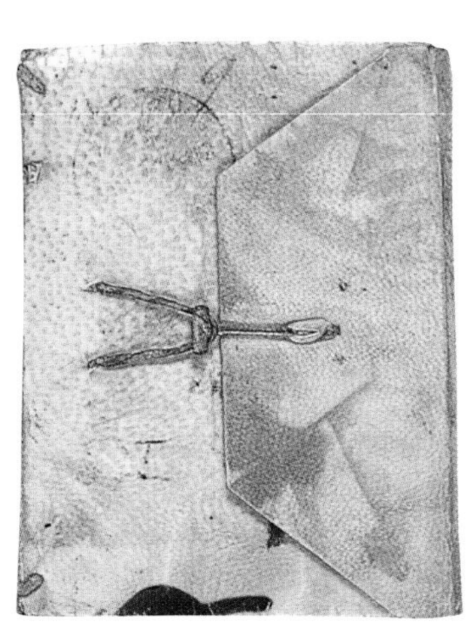

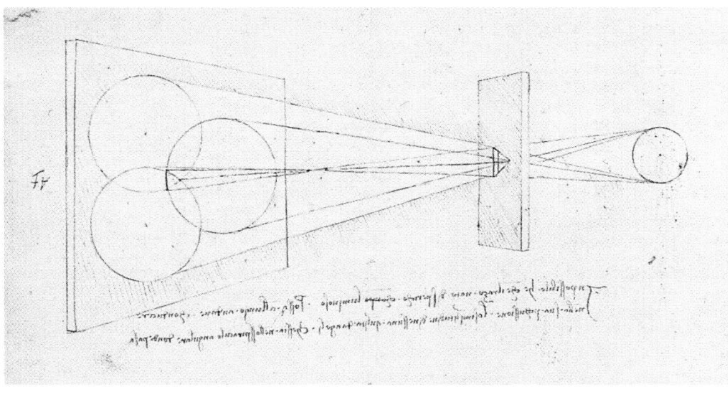

Qui sopra:
raggi luminosi attraverso uno spiraglio angolare (1490-1491), *Manoscritto C* (f. 10v), Parigi, Institut de France.

Manoscritto A
63 fogli (in origine 114), cm 22 x 15
Si presenta mutilo rispetto all'originale, a causa del furto di numerosi fogli – alcuni mai ritrovati – sottratti verso la metà dell'Ottocento da Guglielmo Libri, che ne ricompose una parte in volume vendendolo all'inglese Lord Ashburnham. Il fascicolo fu poi recuperato e catalogato come *Ashburnham 2038.* Il contenuto del manoscritto, datato 1490-1492, riguarda prevalentemente la pittura e la fisica, con le considerazioni sul moto a fare da denominatore comune. Il tema della pittura vi è discusso in modo particolareggiato, tanto è vero che Francesco Melzi ne trascrisse ampi stralci nel *Libro di pittura* – poi pubblicato a metà Seicento come *Trattato della pittura* – in cui l'allievo di Leonardo raccolse le osservazioni del maestro sull'argomento.

Nella pagina a fianco:
frutti e verdure, architetture in pianta, gruppi di lettere non decifrate (1487-1489), *Manoscritto B* (f. 2r), Parigi, Institut de France.

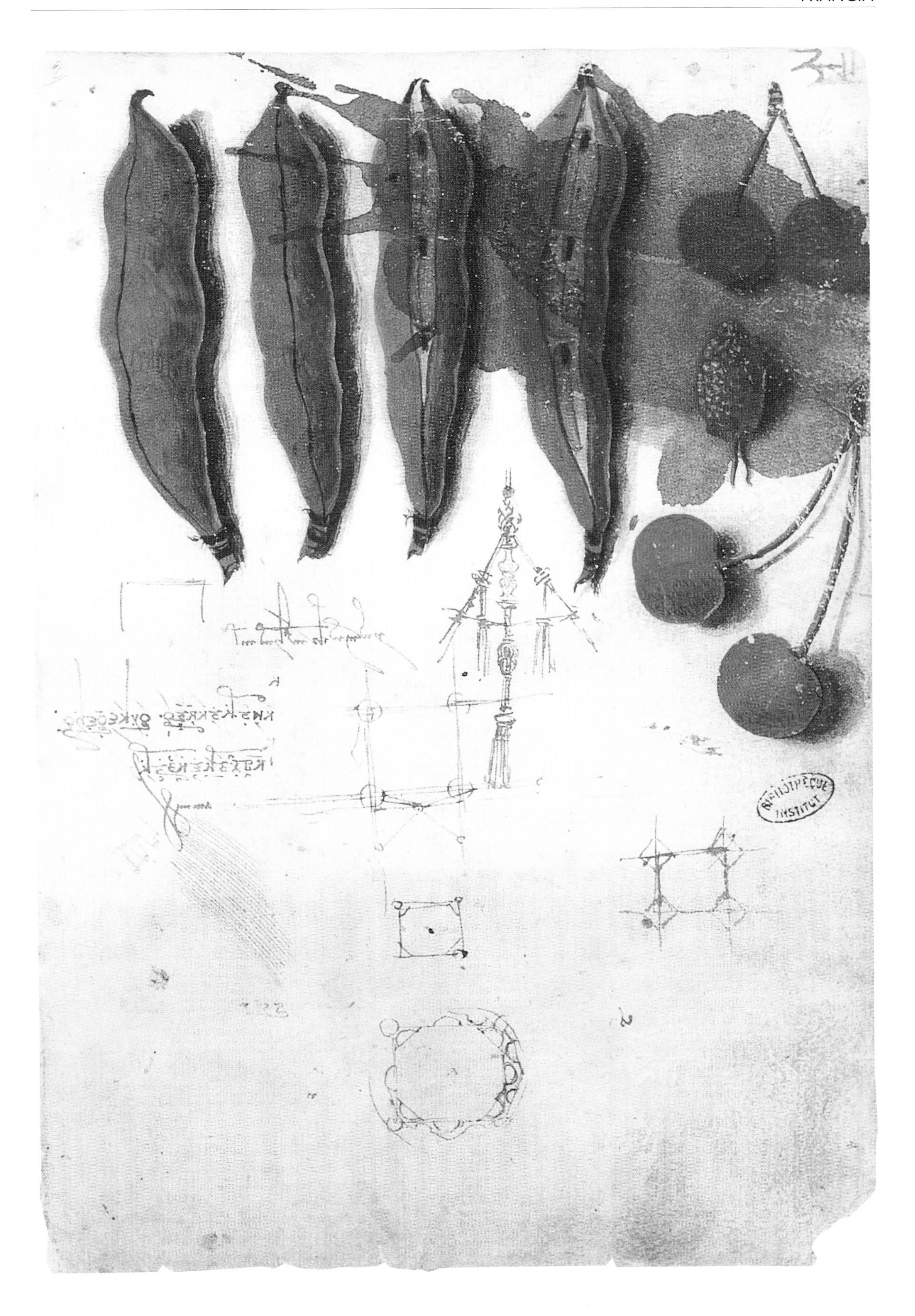

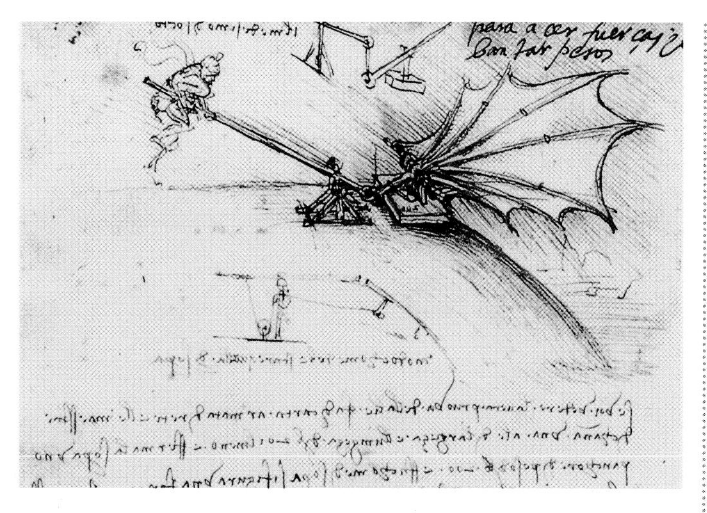

Qui sopra:
studio per provare la forza richiesta dal movimento dell'ala nella macchina volante (1487-1490), *Manoscritto B* (f. 88v, particolare).
Qui sotto:
occhio e raggi luminosi (1508-1509), *Manoscritto D* (f. 1v, particolare).

Nella pagina a fianco, dall'alto:
chiesa a pianta centrale vista "a volo d'uccello" e in pianta, insieme a disegni di architetture militari (1487-1490), *Manoscritto B* (ff. 18v e 19r);
macchinario per la lavorazione di specchi concavi, studio sulla potenza del taglio con calcoli matematici (1515 circa), *Manoscritto G* (ff. 83v e 84r).

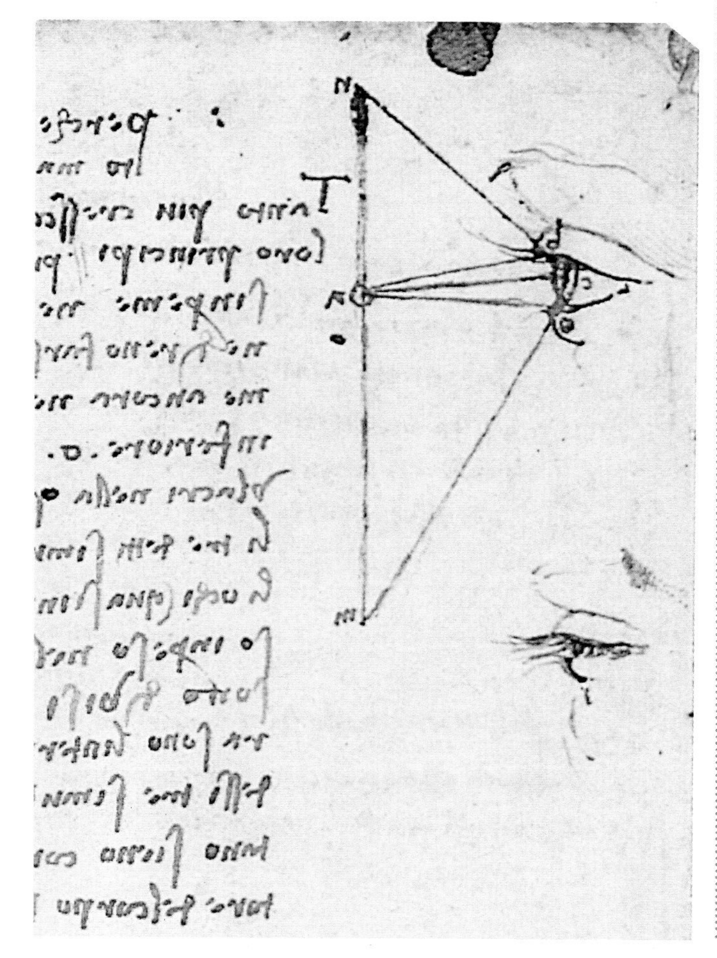

Manoscritto B
84 fogli (in origine 100), cm 23 x 16 circa
Mutilo come il precedente, subì il furto di vari fogli, rubati da Guglielmo Libri e poi ricomposti in volume e venduti a Lord Ashburnham. Dopo il recupero, la parte sottratta fu catalogata con la segnatura *Ashburnham 2037*. Redatto tra il 1487 e il 1490, questo manoscritto è, insieme al *Codice Trivulziano*, il più antico degli autografi di Leonardo. Come si vede, il maestro giunse all'esposizione scritta del suo pensiero piuttosto tardi, quando già trentacinquenne riuscì infine a superare le sue remore giovanili verso le lettere. Disegni di armi e macchine militari o da lavoro, chiese a pianta centrale, la famosa "città ideale" su due livelli e soprattutto avveniristici progetti di macchine volanti e altre invenzioni – da una vite aerea che sembra anticipare l'elicottero fino al sottomarino – costituiscono il materiale principale di questo codice.

Manoscritto C
32 fogli, cm 31, 5 x 22
Era uno dei manoscritti rimasti ai fratelli Mazenta dopo il furto di Gavardi d'Asola in casa Melzi, quindi non entrò a far parte dei codici dell'eredità Leoni acquistati dall'Arconati e poi ceduti all'Ambrosiana. Fu invece donato alla biblioteca milanese nel 1609 dal suo fondatore, il cardinale Federigo Borromeo al quale Guido Mazenta ne aveva fatto omaggio. Sull'antica legatura in pelle si legge infatti: «UIDI. MAZENTAE. / PATRITII. MEDIOLANENSIS. / LIBERALITATE / AN. M. D. C. III.». Forse conteneva un altro quaderno, ora scomparso. Il codice reca la data di inizio, 23 aprile 1490, e fu probabilmente finito entro il 1491. Il suo contenuto riguarda principalmente lo studio degli effetti di luce e ombra su forme e superfici diverse.

Manoscritto D
10 fogli, cm 22, 5 x 16
Forse sostituì, nella donazione dell'Arconati, il *Trivulziano*, ripreso dal conte. Datato al 1508-1509, contiene soprattutto studi sulla struttura dell'occhio e sulla natura della visione condotti sia attraverso il confronto con le tesi degli auto-

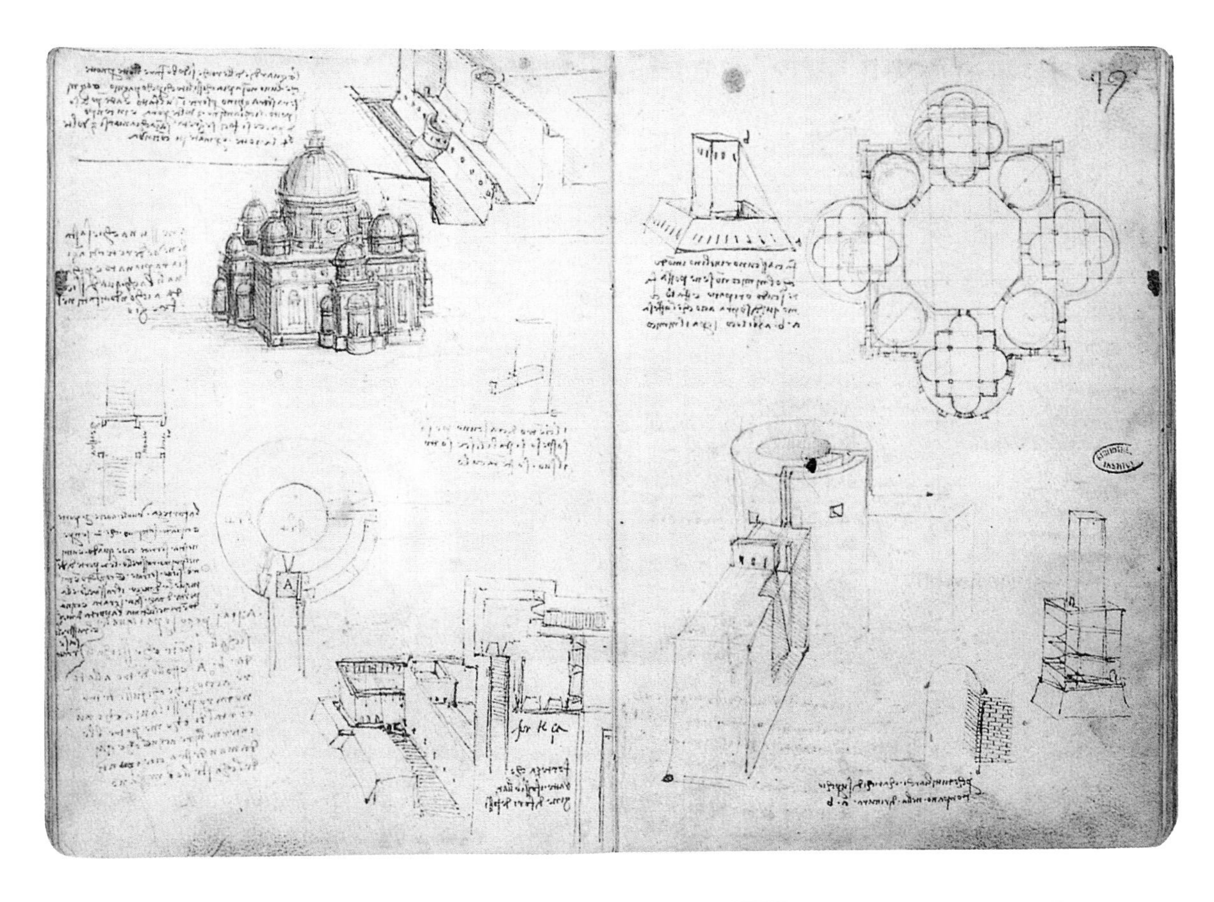

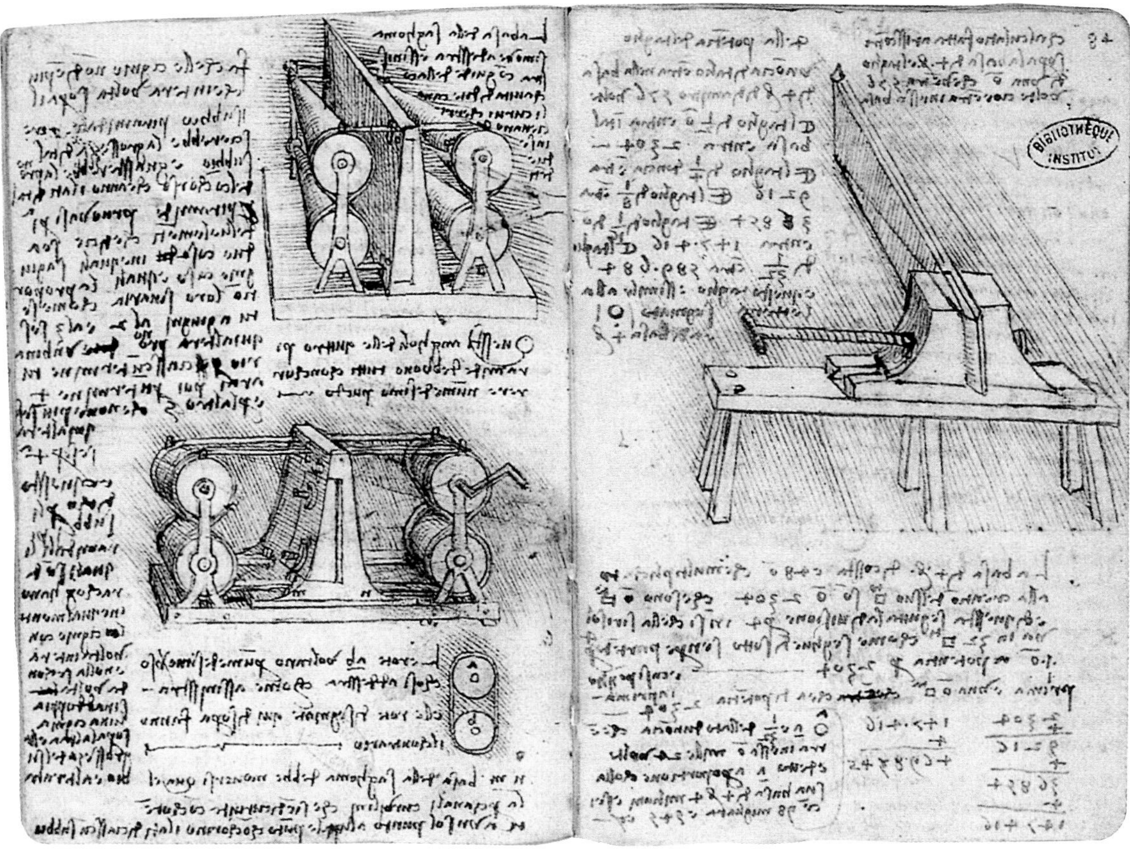
BIBLIOTHÈQUE
INSTITUT

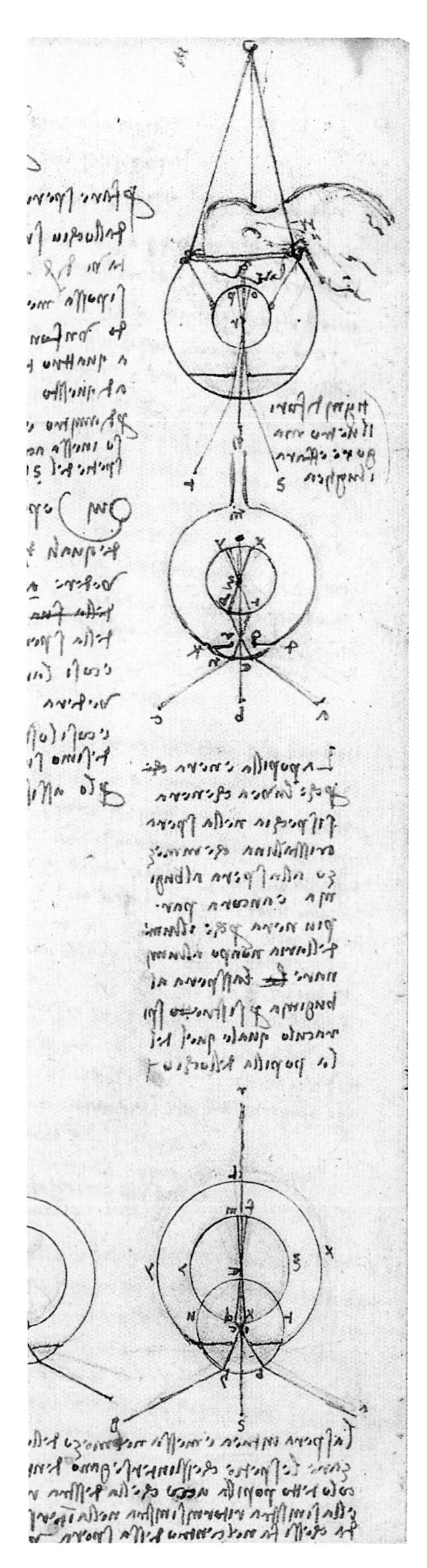

A sinistra: osservatore che scruta dentro un modello vitreo di occhio umano (1508-1509), *Manoscritto D*, Parigi, Institut de France (f. 3v, particolare).

Nella pagina a fianco, dall'alto: due tipi di compasso ad apertura assestabile e spingarda con particolari meccanici (1493-1494), *Manoscritto H*, Parigi, Institut de France (ff. 108v e 109r); studi di motivi ornamentali e proporzioni della testa di un cane (1497-1498), *Manoscritto I*, Parigi, Institut de France (ff. 47v e 48r).

ri antichi, sia attraverso il ricorso all'esperienza, con dissezione di cadaveri, modelli dell'occhio in vetro e l'elaborazione di una camera oscura.

Manoscritto E

80 fogli (in origine 96), cm 14, 5 x 10

Mutilo per la sottrazione di un fascicolo rubato da Guglielmo Libri e poi perduto. Si tratta di un codice tardo, databile al 1513-1514. Due gli argomenti principali: la fisica meccanica e il volo degli uccelli, connesso alla progettazione di una macchina volante. Questa fa registrare un'evoluzione circa le modalità del suo funzionamento, non più a battito alare ma capace di sfruttare le correnti aeree.

Manoscritto F

96 fogli, cm 14, 5 x 10

Si è conservato praticamente intatto dall'epoca della sua compilazione, in tempi molto serrati, nel 1508. Tema principale, lo studio dell'acqua, con esempi di rara maestria grafica nel disegno dei difficili aspetti con cui può presentarsi l'elemento liquido. Un'importante sezione del manoscritto è dedicata all'ottica e allo studio della luce da cui si passa anche alla cosmologia, discutendo per esempio l'ipotesi dell'origine della Terra per emersione dalle acque del mare.

Manoscritto G

93 fogli, cm 14, 5 x 10 (con forse tre carte tolte in origine)

Le date riportate nel codice (1510, 1511 e 1515) fanno riferimento le prime due al secondo periodo milanese, la terza al soggiorno romano di Leonardo. Tra i molti temi trattati, ha un notevole rilievo la botanica.

Manoscritto H

142 fogli, cm 10, 5 x 8

Si compone di tre diversi quaderni, forse rilegati dopo la morte del Leoni. È dedicato prevalentemente allo studio dell'acqua. Interessanti gli appunti di grammatica latina, che testimoniano lo studio della materia ripreso da Leonardo ultraquarantenne. Il codice risale al 1493-1494, date cui fanno riferimento tutti e tre i quaderni.

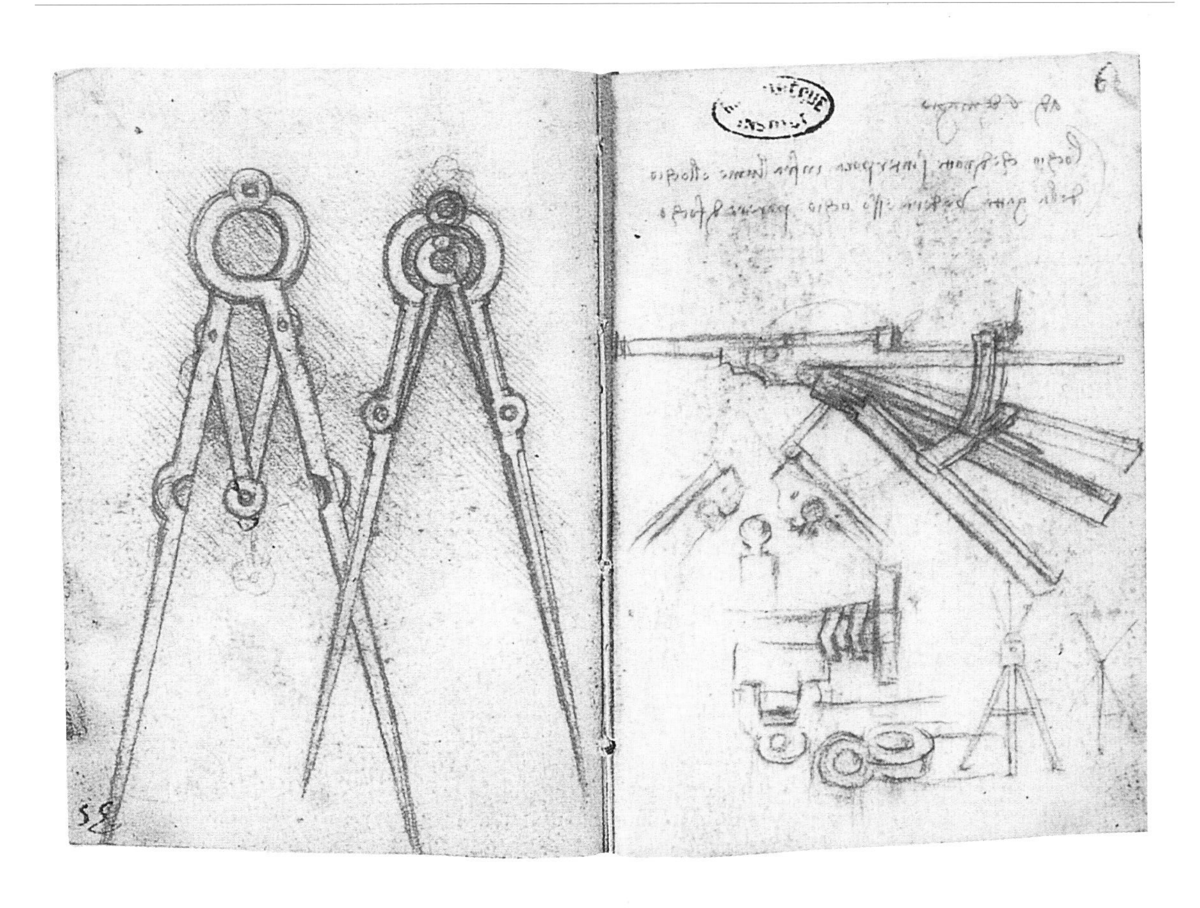

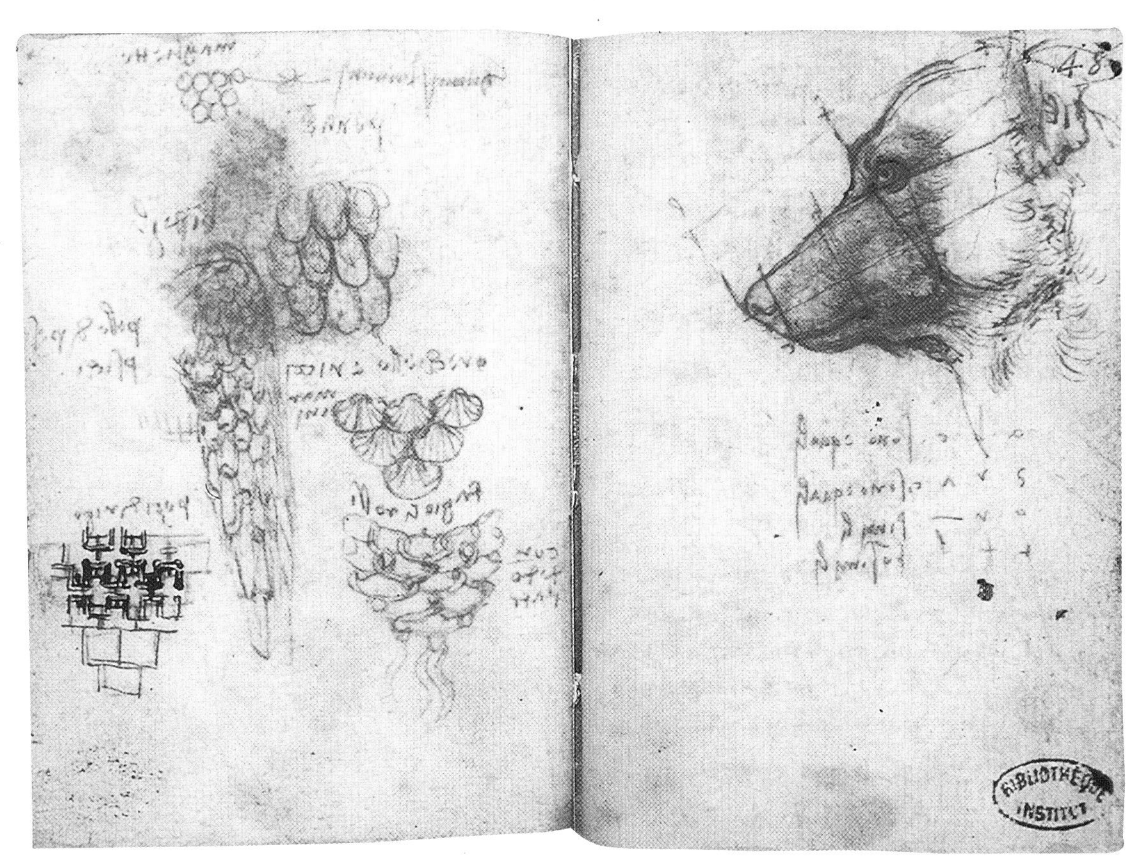

LE ISTITUZIONI LEONARDIANE NEL MONDO

La rete di istituzioni e di organismi di ricerca internazionali nata attorno alla complessa figura di Leonardo prende avvio da alcune biblioteche specializzate, la più antica delle quali è la Biblioteca leonardiana di Vinci, fondata nel 1898, seguita dalla Raccolta vinciana di Milano (editrice dell'omonimo annuario), sorta nel 1905, e dalla Elmer Belt Library of Vinciana di Los Angeles, donata nel 1961 dal fondatore alla University of California. Qui Armand Hammer, da cui il codice omonimo prende il nome, ha finanziato una cattedra di studi vinciani e un Centro di studi vinciani entrambi affidati a Carlo Pedretti. Sempre a Los Angeles, quest'ultimo ha anche istituito a suo nome un'importante fondazione, con base europea nella sua villa di Castel Vitoni a Lamporecchio, sopra Vinci.
Le istituzioni da menzionare e le iniziative legate a Leonardo sarebbero ancora tantissime.
Tra le altre, si ricordano il Museo ideale di Vinci diretto da Alessandro Vezzosi e la pubblicazione in facsimile di tutti i codici leonardiani intrapresa, con il contributo della Fondazione Leonardo da Vinci di Firenze, dall'editore Giunti al quale si deve anche l'annuario "Achademia Leonardi Vinci".

A sinistra:
bollettino del Centro ricerche leonardiane di Brescia.

A sinistra:
l'annuario del Centro Hammer di Los Angeles.

Nella pagina a fianco:
studi di testa umana (1490-1492), *Manoscritto A*, Parigi, Institut de France (f. 63r).

Manoscritto I
I^1 48 fogli e I^2 91 fogli, cm 10 x 7, 5
È formato da due taccuini che sono disuguali riguardo al numero dei fogli e che si susseguono in ordine inverso a quello cronologico, essendo il primo datato al 1499, mentre il secondo è del 1497. Svolge argomenti vari, fra i più tipici di Leonardo. Tra le curiosità, la misurazione della sua vigna di San Vittore.

Manoscritto K
K^1 48 fogli, K^2 32 fogli e K^3 48 fogli, cm 9,6 x 6, 5
Sebbene compreso nell'eredità Leoni, arriva all'Ambrosiana non attraverso la donazione Arconati ma ceduto nel 1674 dal conte Orazio Archinti. È composto da tre taccuini, di cui i primi due degli anni 1503-1505 e l'ultimo del 1506-1507. Tema dominante, soprattutto nei primi due quaderni, la geometria, con l'interessante problema della quadratura del cerchio.

Manoscritto L
94 fogli (in origine 96), cm 10 x 7
Ha mantenuto le caratteristiche che presentava al tempo della sua compilazione, che va dal 1497 al 1502 spingendosi fino al 1504. Gli appunti relativi al *Cenacolo* sono indubbiamente tra i motivi di maggior interesse di questo codice. Ma altrettanto importanti e piuttosto corpose sono anche le sezioni dedicate alle fortificazioni militari progettate dal maestro nel periodo passato al servizio di Cesare Borgia e quelle sul volo degli uccelli, con vari disegni per una macchina volante. Tra le curiosità, lo schizzo del gigantesco ponte progettato per collegare «Pera e Gostantinopoli» di cui Leonardo scriveva in una lettera al sultano turco.

Manoscritto M
96 fogli, cm 10 x 7 circa
Compilato a partire dal 1495, contiene soprattutto studi e riflessioni degli anni 1499-1500, quando Leonardo si impegna nel fondamentale confronto con alcuni grandi pensatori dell'antichità, come Euclide e Aristotele. Un grande spazio è infatti dedicato, in questo codice, alla geometria e alla fisica.

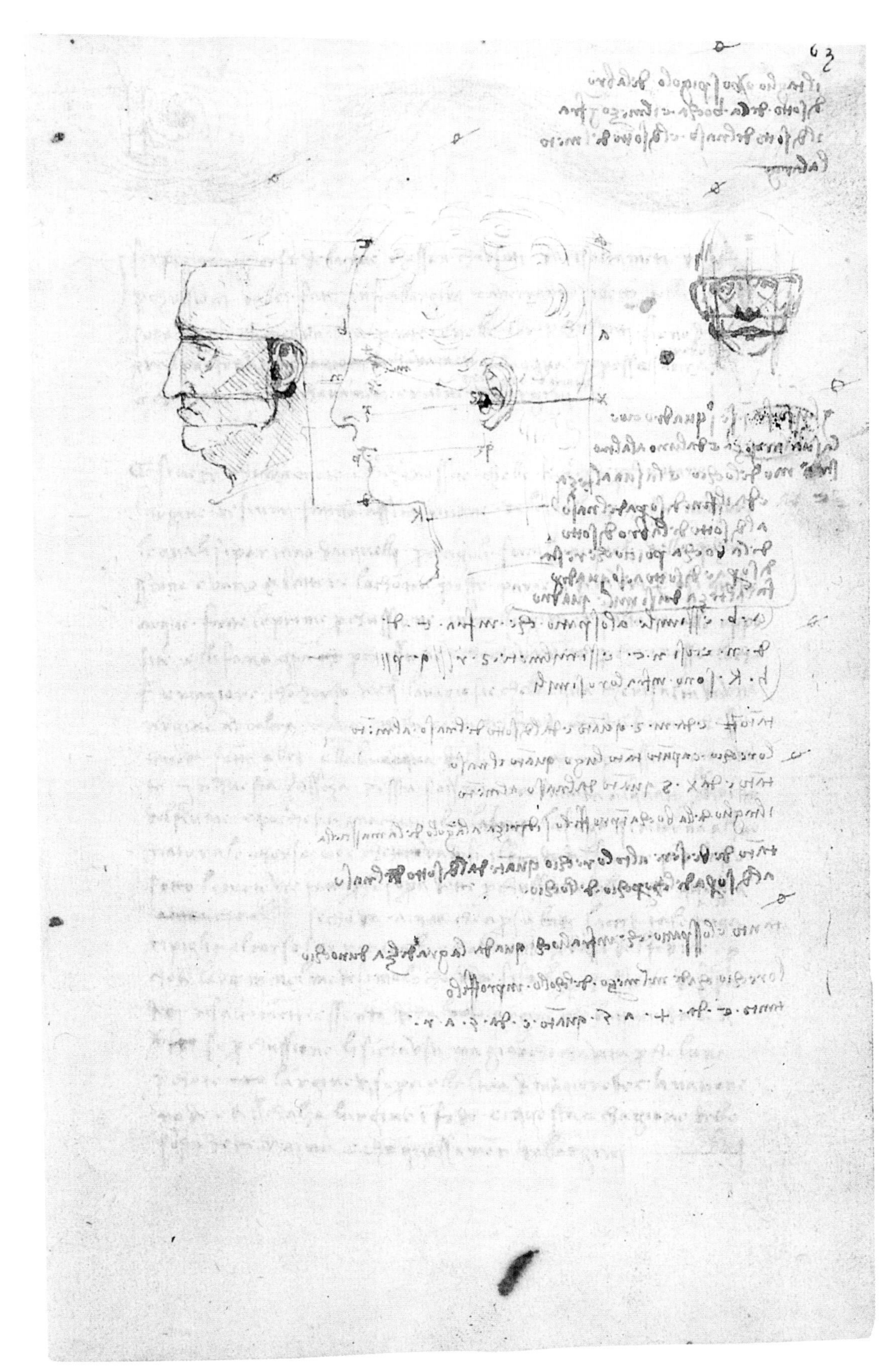

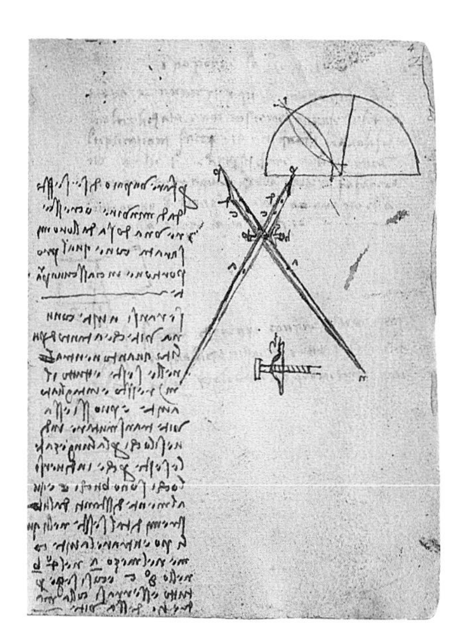

A sinistra:
figura geometrica, compasso di proporzione e sua madrevite (1505), *Codice Forster I* (f. 4r), Londra, Victoria and Albert Museum.

Qui sotto:
ruotismi che muovono pompe idrauliche (1487-1490 circa), *Codice Forster I* (f. 45v), Londra, Victoria and Albert Museum.

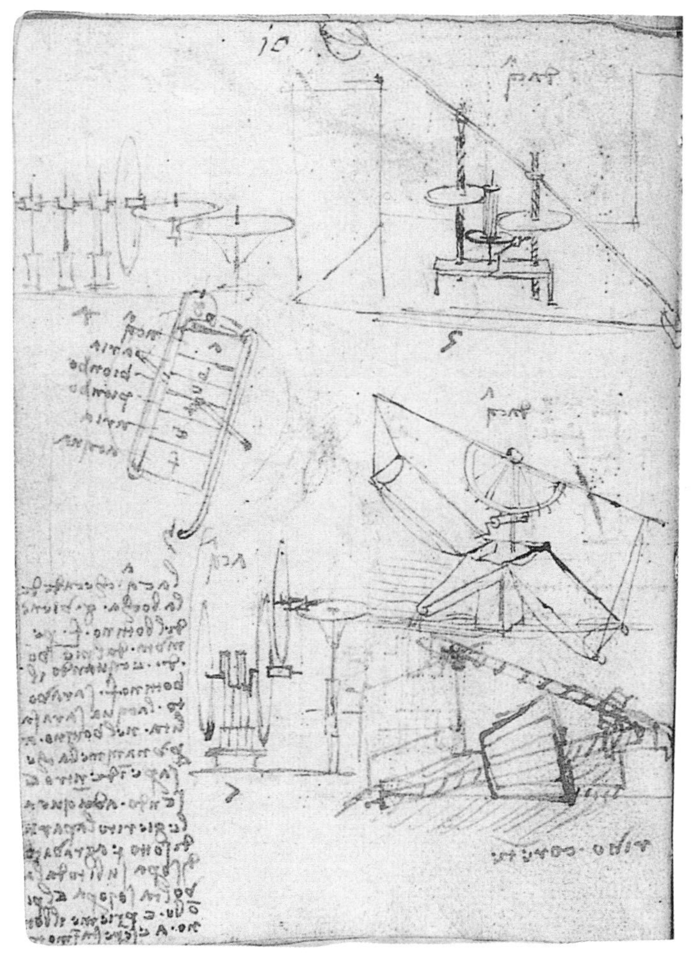

Nella pagina a fianco, dall'alto:
carta della Toscana col percorso del fiume Arno da Firenze fino a Pisa e al mare (1504 circa), *Codice di Madrid II* (ff. 22v e 23r); molla d'orologio e congegno per lo sganciamento automatico di carichi; serie di catene articolate (1495-1499 circa), *Codice di Madrid I* (ff. 9v e 10r).

SPAGNA

Codici di Madrid
Madrid, Biblioteca Nacional
Si tratta di due manoscritti ritrovati per caso nella biblioteca spagnola solo nel 1966. Per secoli se ne era ignorata l'esistenza a causa della segnatura sbagliata con cui erano stati catalogati nel passaggio alla Biblioteca reale nel 1830, dove risultano inventariati per la prima volta nel 1831-1833. I due codici appartennero a Don Juan Espina, che probabilmente ne entrò in possesso attraverso l'eredità Leoni, e sono con ogni verosimiglianza quelli che Lord Arundel tentò di acquistare negli anni Trenta del Seicento, nonché quelli a cui sembra riferirsi Vincente Carducho nel 1633, affermando che Espina intendeva donarli al re di Spagna, come deve poi essere avvenuto dopo la morte del gentiluomo spagnolo.

Madrid I, 8937
184 fogli (8 mancanti, forse dal tempo di Leonardo), cm 21 x 15
La data della compilazione riguarda gli anni dal 1490 al 1499, spingendosi fino al 1508. Disegni di meccanismi di vario tipo, tra cui orologi, riempiono la prima parte del codice, mentre la seconda è dedicata agli studi di meccanica teorica.

Madrid II, 8936
157 fogli, cm 21 x 15
Il codice è formato da due manoscritti totalmente diversi per contenuto e cronologia: il primo risale agli anni 1503-1505, mentre il secondo (ff. 141-157) è chiaramente databile agli anni milanesi tra il 1491 e il 1493. Il volume è di fondamentale importanza per la conoscenza di alcuni aspetti dell'attività di Leonardo. Tra i disegni rivestono estremo interesse quelli relativi al progetto di deviazione dell'Arno ai tempi della guerra di Firenze contro Pisa, mentre alcune note coeve danno preziose informazioni sulla *Battaglia di Anghiari*; altre osservazioni riguardano la prospettiva e l'ottica e saranno utilizzate dal Melzi per il *Libro di pittura*. L'ultima parte del codice è dedicata alla fusione del monumento Sforza.

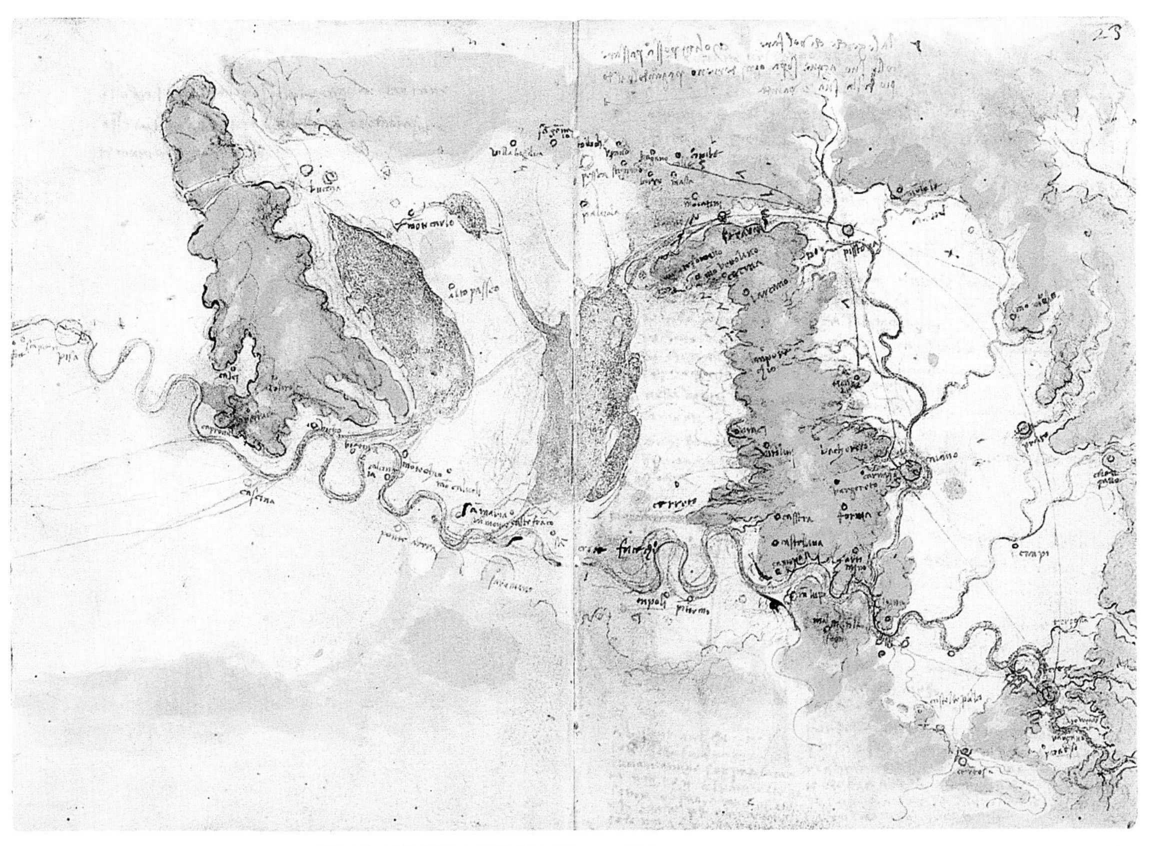

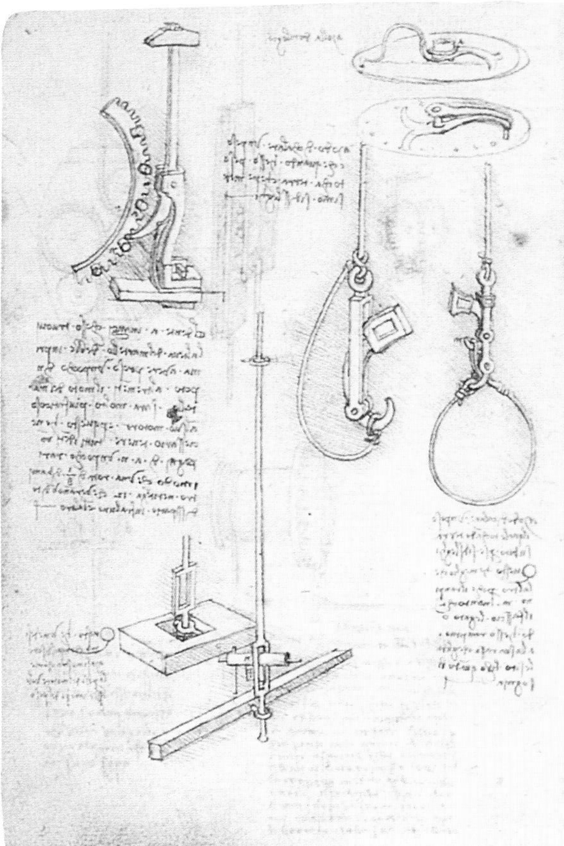

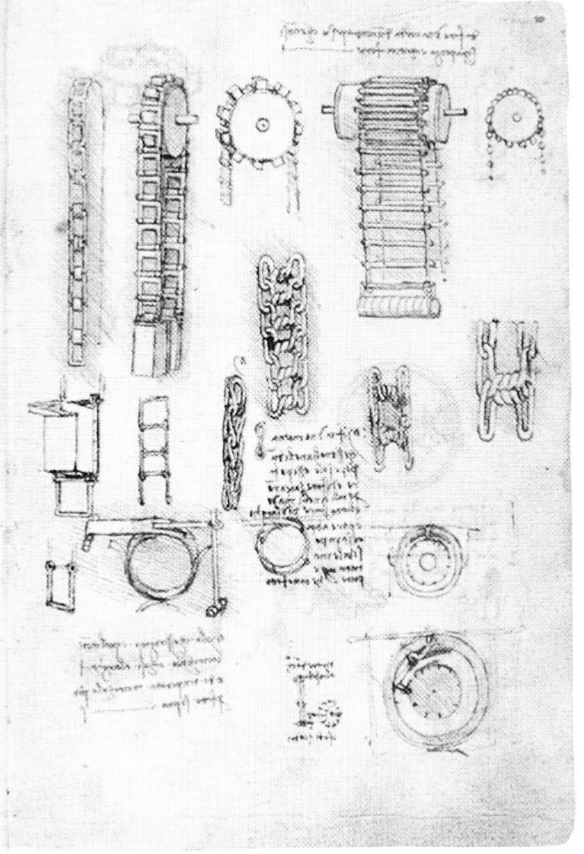

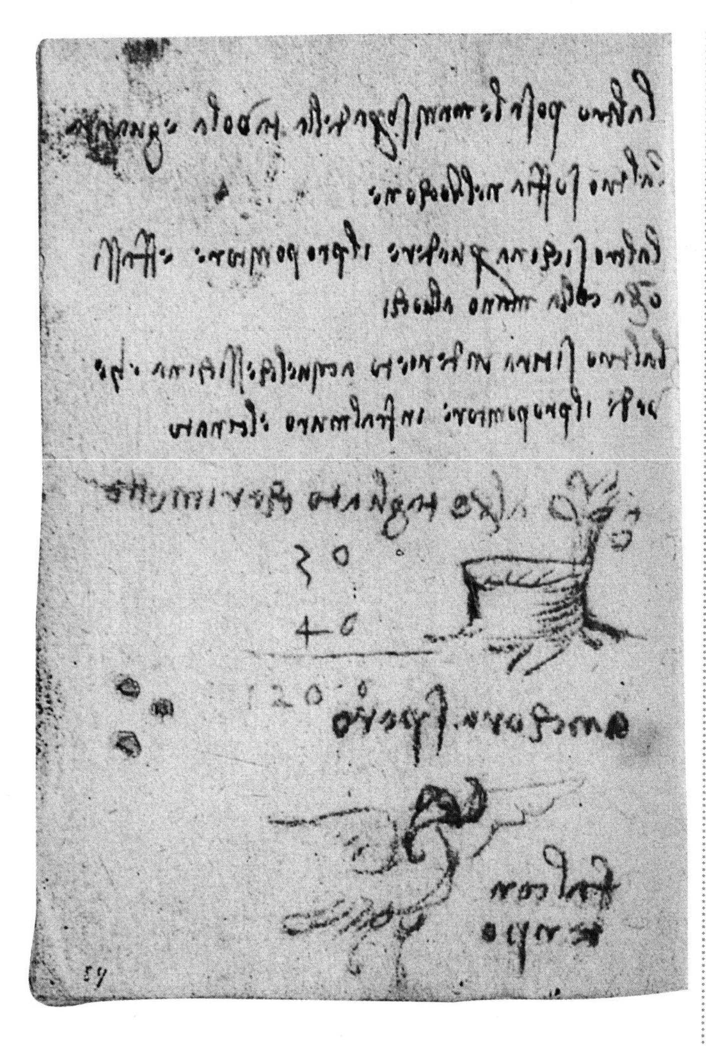

In alto:
annotazioni per il *Cenacolo* (1495 circa); rebus emblematico; falcone che tiene nel becco un bilancere d'orologio, *Codice Forster II* (f. 63r).

Qui sopra:
disegni di cappelli, nastri e altri oggetti di vestiario per mascherate (1494 circa), *Codice Forster III* (ff. 8v e 9r).

INGHILTERRA

Raccolta di Windsor
234 fogli Windsor Castle, Royal Library
Raccolta miscellanea messa insieme non da Leonardo ma, come nel caso del *Codice Atlantico*, confezionata da Pompeo Leoni. Lo dichiara la stessa iscrizione sulla coperta originale che recita: «DISEGNI. DI. LEONARDO. / DA. VINCI. RESTAU. / RATI. / DA. POMPEO. LEONI.». Nel 1630 il codice era in possesso di Thomas Howard, conte di Arundel, che lo aveva acquistato in Spagna dagli eredi dello scultore. In seguito, non si capisce bene come e quando entri a far parte delle collezioni reali inglesi. Si sa infatti che Lord Arundel lasciò l'Inghilterra nel 1645, durante la guerra civile, per stabilirsi ad Amsterdam dove portò la sua raccolta di disegni. Ma è difficile dire se è dall'Olanda che il volume con gli autografi leonardiani passò a Windsor, oppure se vi era già arrivato in precedenza. Nel primo caso si ipotizza che il codice fosse entrato in possesso del pittore di corte sir Peter Lely dal quale sarebbe stato venduto o donato al re Carlo II. In ogni caso, nel 1690 faceva già parte della raccolta reale, come testimonia il fatto che in quell'anno fu mostrato a Constantijn Huygens, segretario di Guglielmo III e collezionista. Il codice contiene circa seicento disegni di Leonardo eseguiti tra il 1478 e il 1518. Oggi, dopo una lunga operazione iniziata alla fine dell'Ottocento, i fogli sciolti dei disegni leonardiani sono sistemati tra due lastre di perspex e divisi per sezioni tematiche: anatomia - paesaggi - cavalli e altri animali - figure, profili, caricature - carte miscellanee.

Codice Arundel
Londra, British Museum
283 fogli, cm 21 x 15 in prevalenza
Anche questa è una raccolta miscellanea non realizzata da Leonardo. A differenza del *Codice Atlantico* e della *Raccolta di Windsor*, non si tratta però dell'assemblaggio di fogli e frammenti ma di un insieme di fascicoli che hanno più o meno conservato la struttura originaria, nonostante i casi di singoli fogli diversamente datati inseriti in alcuni dei quaderni. Il codice

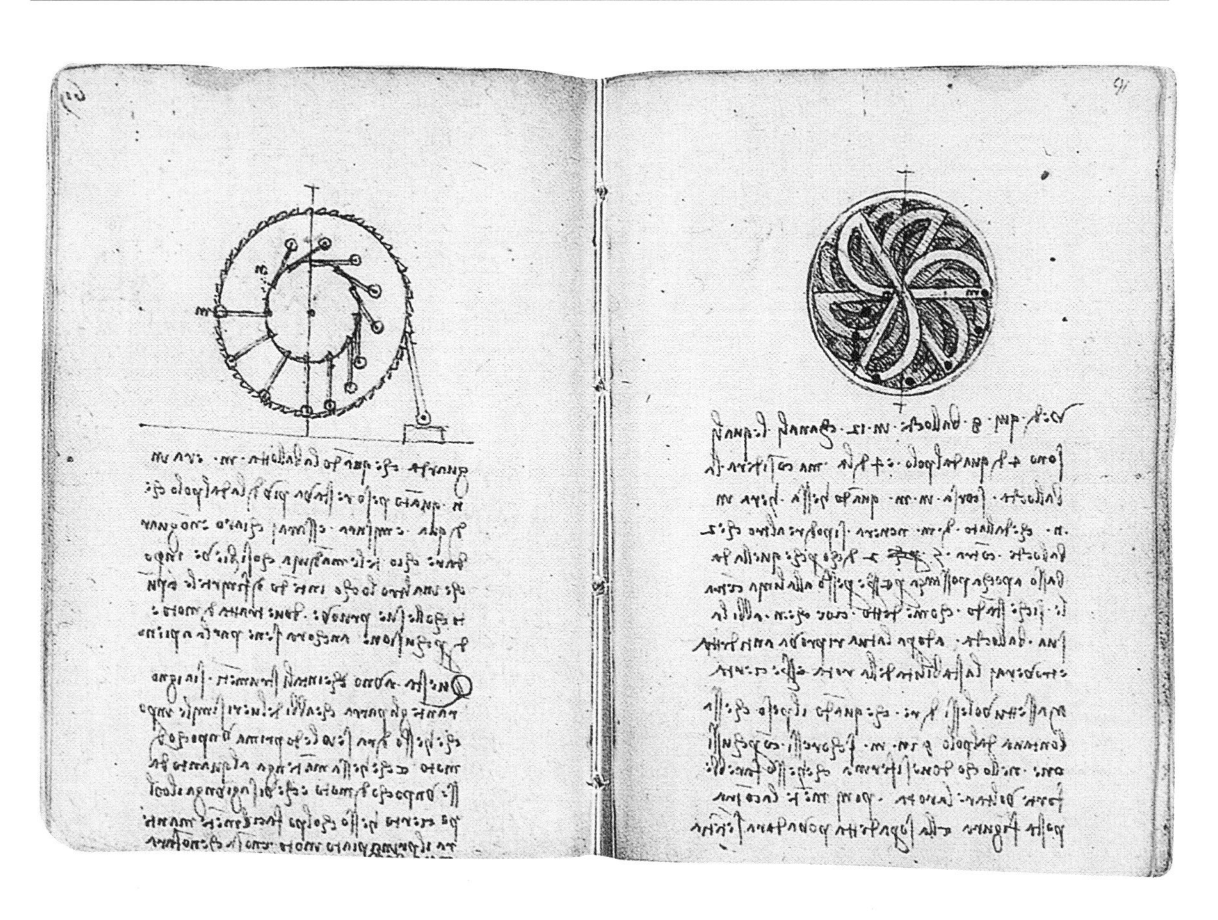

Qui sopra:
studi relativi al problema
del moto continuo (1495 circa),
Codice Forster II (ff. 90v e 91r).

Qui sopra:
rilegatura in pergamena
del *Codice Forster III* (1493 circa),
formato cm 9 x 6.
A destra:
figura di donna seduta con bambino
in grembo (1497 circa),
Codice Forster II (f. 37r).

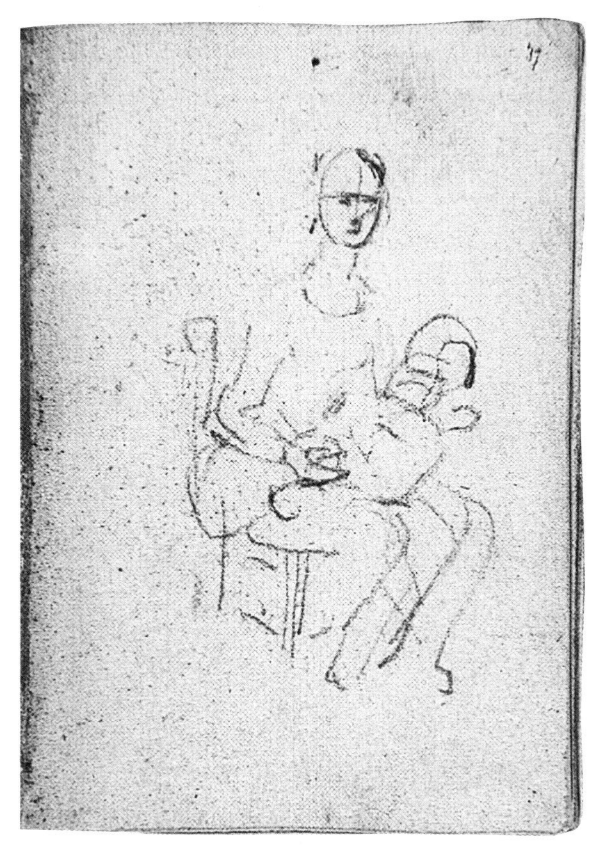

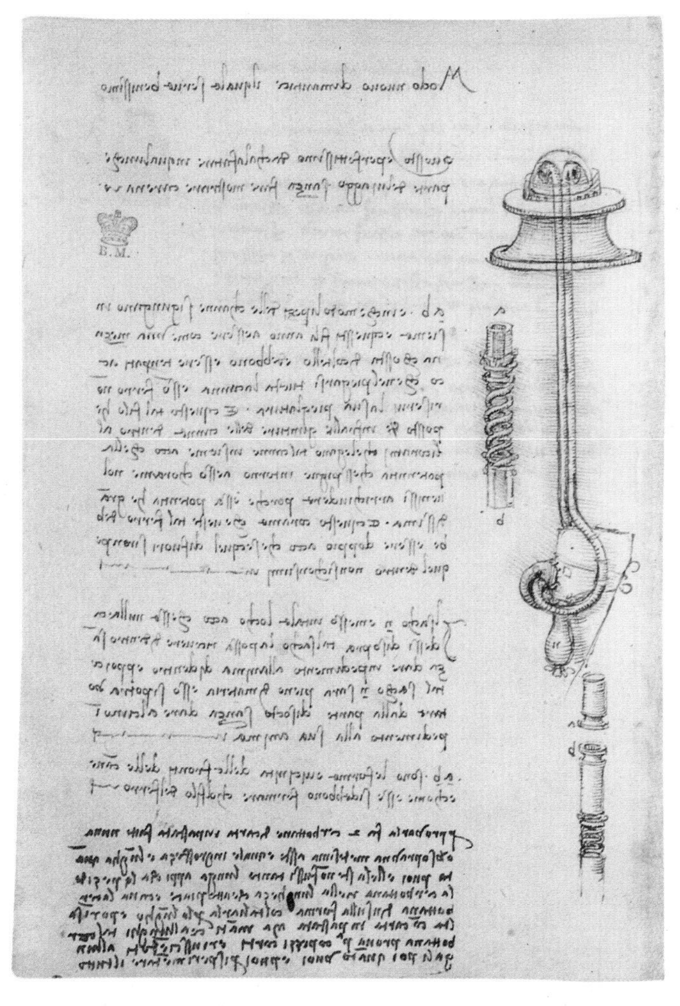

Qui sopra:
studio di galleggiante con tubi di respirazione per palombaro (1508), *Codice Arundel* (f. 24v).

Qui sotto:
vene superficiali del cuore (1513 circa), *Raccolta di Windsor, Anatomia* (f. 166v).

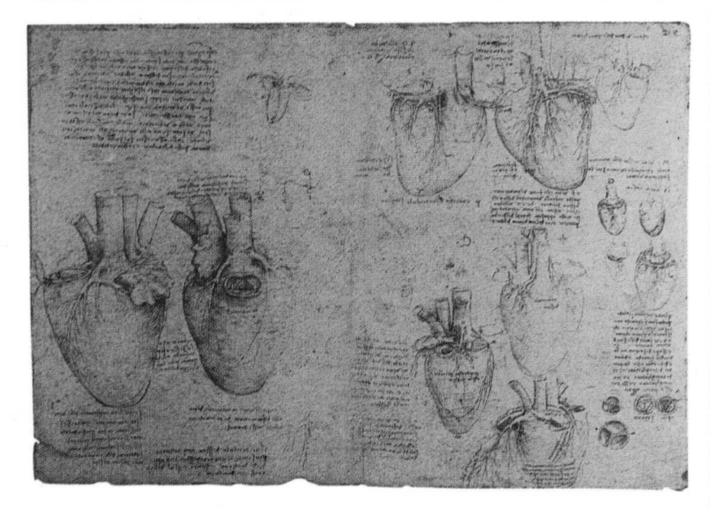

Nella pagina a fianco:
studio di muscoli del tronco e della coscia (1510), *Raccolta di Windsor, Anatomia* (f. 148v, particolare).

non figurava tra quelli dell'eredità di Pompeo Leoni, ma quasi certamente Lord Arundel, alias Thomas Howard, lo aveva acquistato in Spagna negli anni Trenta del Seicento. A ogni modo, nel 1642 figurava sicuramente nella biblioteca della sua dimora inglese, passando poi agli eredi dopo la sua morte, avvenuta in Italia nel 1646. Qui il grande collezionista d'arte, sempre a caccia di materiale leonardiano, soggiornava spesso e aveva anche contattato il conte Arconati nell'inutile tentativo di acquistare da lui il *Codice Atlantico*. Nel 1666 il *Codice Arundel* fu donato dai nuovi proprietari alla Royal Society di Londra e da lì arrivò al British Museum nel 1831-1832. Dal punto di vista cronologico, l'intervallo di tempo abbracciato da questo codice è molto vasto, dal 1478 al 1518. Suo argomento principale è la matematica ma c'è una grande varietà dei contenuti, dalla fisica, all'ottica, all'architettura. A quest'ultimo campo appartengono i disegni per il complesso di Romorantin, progettato da Leonardo negli ultimi tre anni di vita, durante il suo soggiorno francese. Famosa la nota riguardante la morte del padre, redatta in tono freddo e distaccato, con stile quasi notarile: «Addì 9 di luglio, 1504 en mercoledì aore 7 morì Ser Piero Davincj, notaio al palagio del Podestà, mio padre, aore 7 era detà dannj 80, lasco 10 figlioli mascj e 2 femmjne». Tra le curiosità, la maschera da "palombaro": un avveniristico disegno di apparecchiatura per la respirazione subacquea.

Codici Forster

Londra, Victoria and Albert Museum

Sono tre codici di piccolo formato, simili a taccuini tascabili, molto diversi per contenuto e datazione. Appartennero prima al conte Lytton, cui pervennero (secondo alcuni) dall'eredità Leoni, e quindi a John Forster che alla sua morte (1876) li lasciò all'istituzione londinese.

Forster I

FI^{1} 40 fogli e FI^{2} 14 fogli, cm 14, 5 x 10 circa

È suddiviso in due manoscritti, il primo dei quali, datato al 1505, è più tardo del secondo che si fa risalire al 1487-1490. FI^{1} si presenta come una sezione organica ben strutturata, con un ordine piuttosto inusuale per Leonardo. L'argomento prevalente, legato all'interesse per la geometria che era diventato fondamentale in seguito all'amicizia con Luca Pacioli, è la stereometria, cioè la «strasformazione [...] d'un corpo 'n altro senza diminuzione o accrescimento di materia». FI[2] contiene studi del primo periodo milanese, soprattutto di ingegneria idraulica, con disegni di "viti di Archimede" per sollevare l'acqua e di altre macchine idrauliche.

Forster II

FII[1] 63 fogli e FII[2] 95 fogli, cm 9, 5 x 7

Come il precedente, comprende due manoscritti che un'errata legatura secentesca ha unito capovolgendoli l'uno rispetto all'altro. FII[1], con i suoi riferimenti al *Cenacolo* e gli studi architettonici che rimandano ai lavori di Bramante in Santa Maria delle Grazie, e con gli accenni alla vigna di San Vittore, sembra risalire al 1497 circa. Tra i molti bei disegni, notevoli i nodi (i cosiddetti "nodi vinciani") e gli intrecci vegetali. FII[2] risulta invece compilato nel 1495. Si tratta essenzialmente di un quaderno di esercizi che rispecchia la costante passione di Leonardo per la fisica, presentando una serie di studi collegati alla stesura di un trattato teorico sull'argomento – perduto – di cui Leonardo parla nei suoi appunti. Tra le curiosità, una nota di spesa per la «sotterratura di Caterina», forse relativa alla madre di Le

Forster III

94 fogli, cm 9 x 6

Questo piccolo libretto, in cui viene usata soprattutto la matita rossa, ha le caratteristiche del "brogliaccio", con appunti e schizzi estemporanei di tutti i generi, sparsi un po' dappertutto sulla pagina senza un ordine preciso. Si tratta di un materiale che rimanda agli anni della poliedrica attività di Leonardo alla corte di Ludovico il Moro, raccolto probabilmente attorno al 1493-1496. Tra le altre cose, favole, ricette, sentenze morali, maschere, cappelli e anche disegni per il monumento Sforza e studi architettonici e urbanistici per la città di Milano.

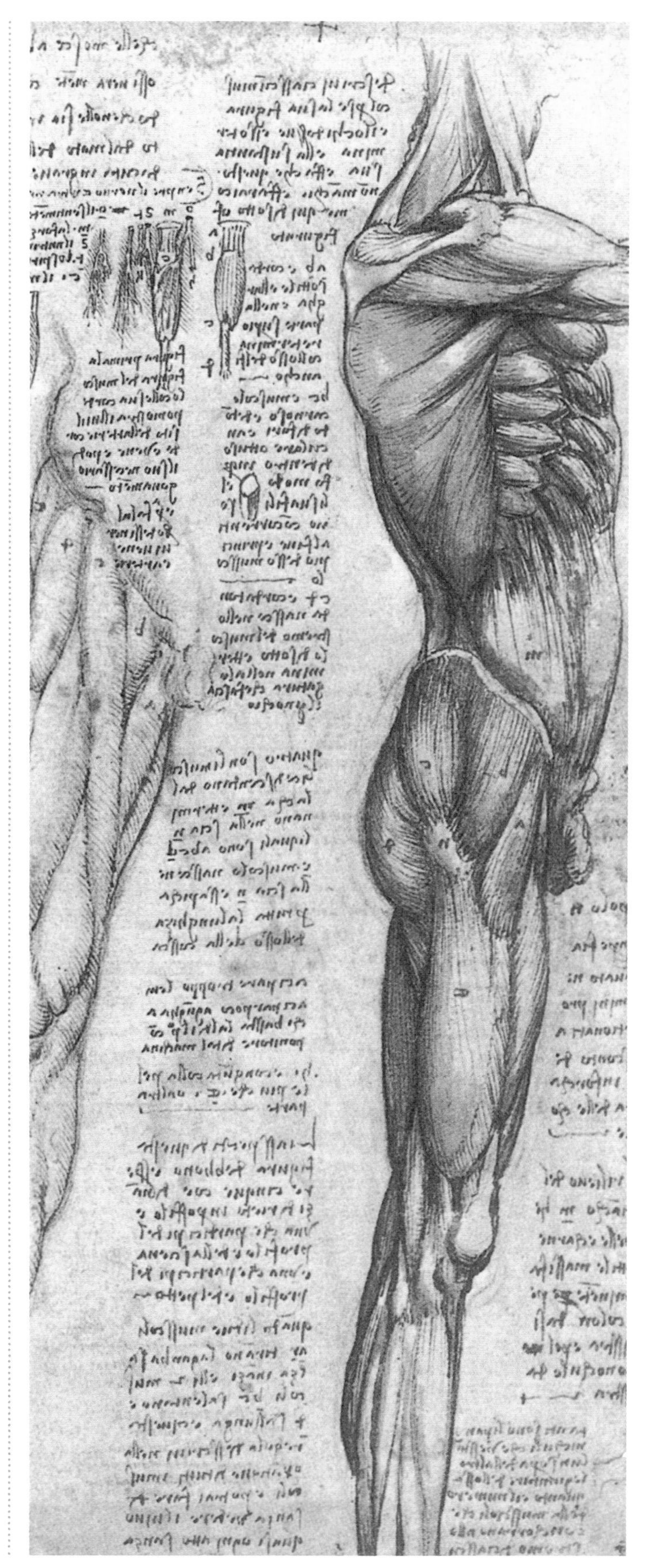

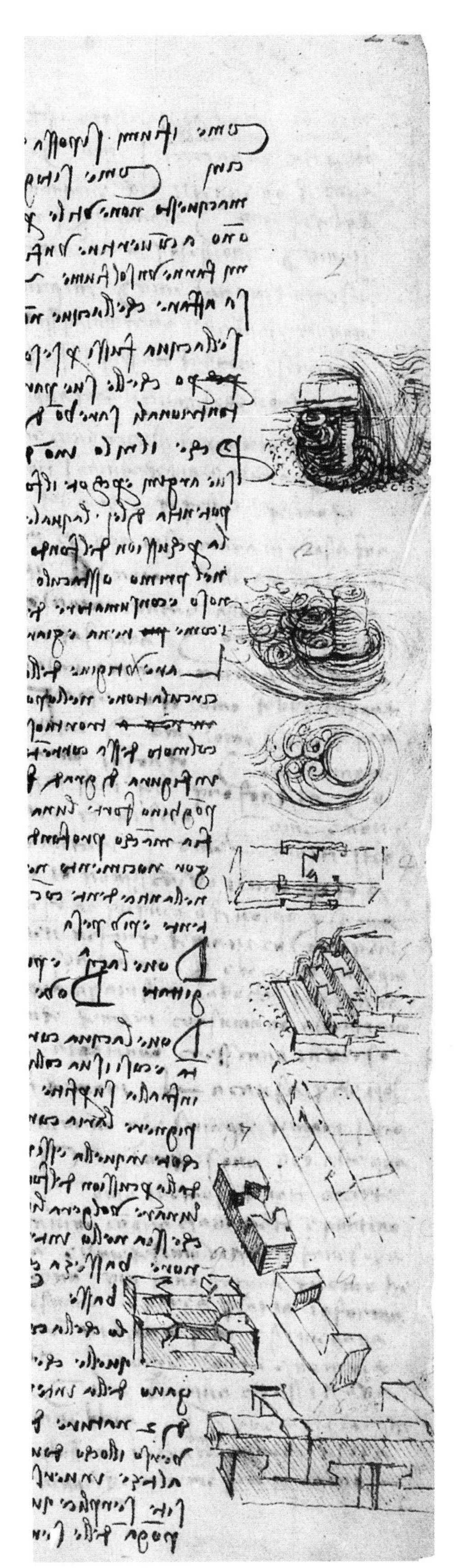

A sinistra:
studi sulle acque e disegni di rampe per rallentare la caduta (1506-1508 circa), *Codice Hammer* (f. 22r, particolare).
Qui sotto, a destra:
studio su forza ed equilibrio dell'altalena (1506-1508 circa), *Codice Hammer* (f. 2r, particolare).

Nella pagina a fianco, in alto:
pagina di annotazioni sulla Luna; disegni e note sull'illuminazione del Sole, della Terra, della Luna (1506-1508), *Codice Hammer.*
In basso:
studi di astronomia con spiegazione della «luce cinerea» della luna nuova (cento anni prima di Galileo) (1508 circa), *Codice Hammer.*

Stati Uniti

Codice Hammer
Seattle, collezione Bill Gates
18 carte doppie, cioè 36 fogli con recto e verso, cm 29 x 22

Leonardo lo compilò via via, riempiendo a penna un doppio foglio dietro l'altro, ogni volta inserendolo nei precedenti. Forse la sua intenzione era proprio quella di far cucire le pagine per ottenerne un vero e proprio libro. Oggi, dopo lo smontaggio del volume, i fogli si presentano sciolti come nel corso della compilazione. Il codice prende il nome dal suo penultimo proprietario, l'americano Armand Hammer che lo acquistò a un'asta nel 1980. In precedenza era noto come *Codice Leicester*, anche in questo caso dal nome del proprietario, Thomas Coke conte di Leicester, che lo comprò dal pittore Giuseppe Ghezzi nel 1717. Andando ancora a ritroso, si arriva infine al primo possessore del manoscritto, che nel 1537 risulta essere lo scultore milanese Guglielmo della Porta cui pervenne evidentemente perché il volume non fu ereditato da Francesco Melzi. Quanto all'ultimo proprietario, si tratta dell'americano Bill Gates, il re dell'informatica, che ha comprato il *Codice Hammer* nel 1994, quando fu rimesso all'asta. Leonardo compilò il manoscritto nel biennio 1506-1508, con aggiunte fino al 1510. Il suo tema principale è l'acqua, con studi e splendidi disegni di correnti e vortici. Una parte importante ha anche l'astronomia, col tema dell'illuminazione del Sole, della Terra e della Luna.

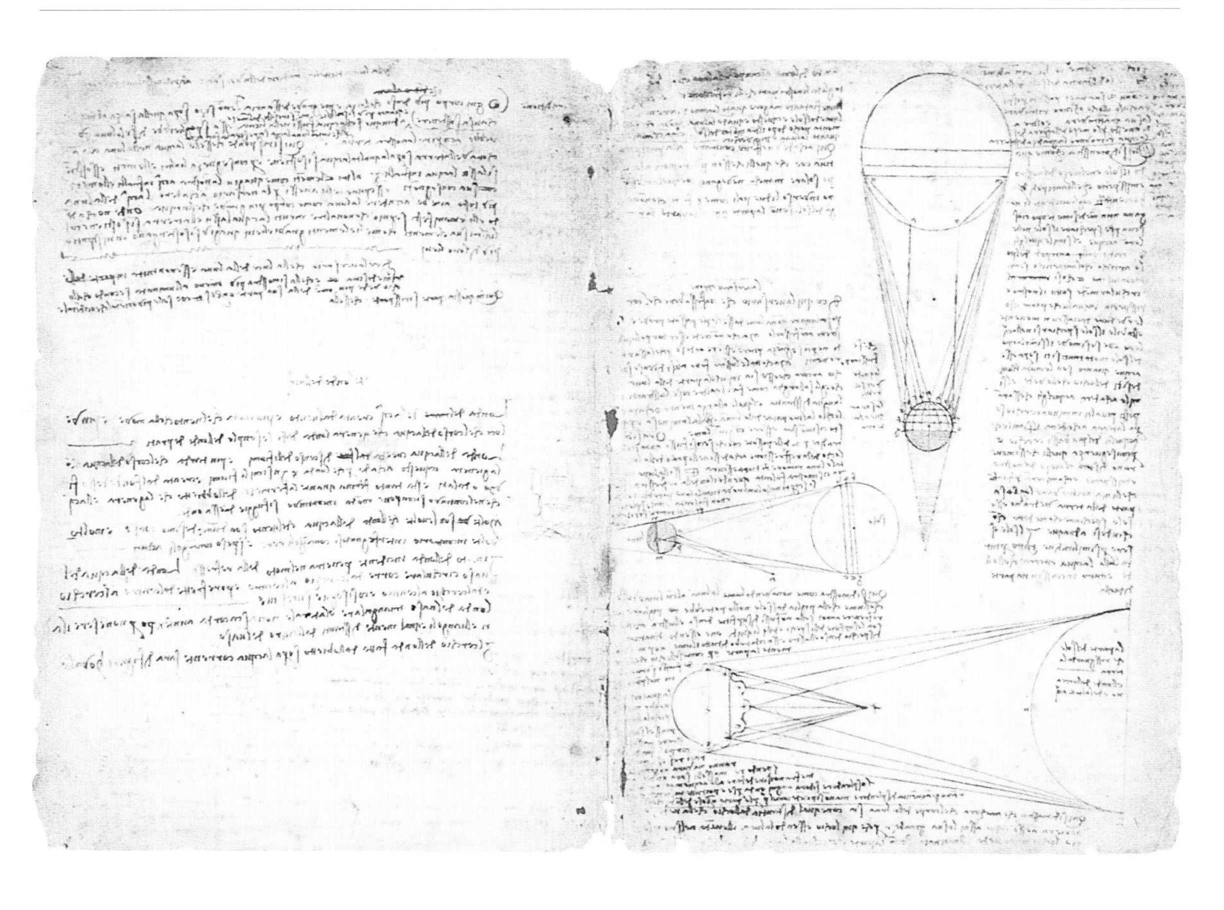

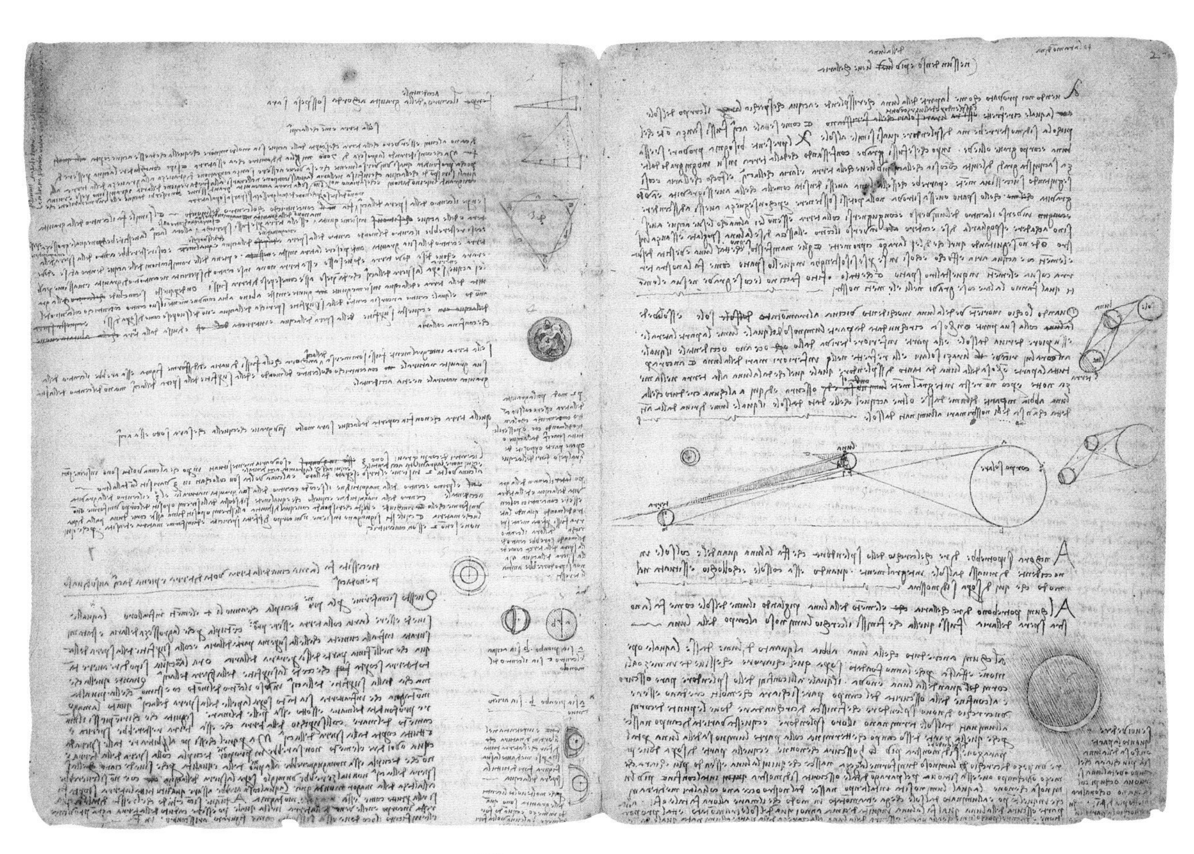

Formazione e affermazione

1468 1499

In alto e qui sopra:
Florentia
(pianta detta "della catena")
(1472 circa), particolari,
Firenze, Museo di Firenze com'era.

Nelle pagine 38-39:
Annunciazione (1475-1480),
particolare, Firenze,
galleria degli Uffizi.

Nella pagina a fianco, dall'alto:
pianta di Firenze di Pietro
del Massaio Fiorentino
con i principali monumenti
cittadini (1469),
Roma, Biblioteca apostolica;
Florentia (pianta detta "della catena")
(1472 circa), Firenze,
Museo di Firenze com'era.

Un apprendista di talento

Leonardo giunge a Firenze sedicenne, nel 1468. Il padre, ser Piero, diventa notaio della famiglia al potere, i Medici, un ufficio che certo rappresentò un vantaggio per la carriera di suo figlio. Un anno dopo, nel 1469, avrà inizio il governo del Medici più famoso, Lorenzo il Magnifico.

La prima casa in cui si ha notizia che Leonardo abitasse col padre e la giovane moglie di quest'ultimo era in via de' Gondi, non distante da palazzo della Signoria. Ser Piero vi si stabilì dal 1469. L'edificio apparteneva a una delle tante corporazioni cittadine, l'Arte dei mercanti. In seguito, a partire dal 1490, la famiglia Gondi vi fece costruire il suo nuovo palazzo commissionato a Giuliano da Sangallo.

Un'idea di quale doveva essere il volto di Firenze al tempo del primo soggiorno di Leonardo la si può avere guardando la pianta disegnata nel 1469 da Pietro del Massaio Fiorentino, oppure la cosiddetta pianta "della catena", eseguita verso il 1472. Nel secondo Quattrocento il capoluogo toscano appare una città florida, attiva e popolosa, con un tessuto urbano già ricco di splendidi edifici pubblici, come palazzo della Signoria o il palazzo del Bargello, e chiese prestigiose come San Lorenzo, Santa Croce, Santa Maria Novella, Santa Maria del Carmine, Santo Spirito e il duomo di Santa Maria del Fiore, recentemente completato dalla famosa cupola del Brunelleschi. Entro questo contesto andavano inserendosi a ritmo crescente gli eleganti palazzi delle grandi famiglie, dimore come il palazzo dei Medici in via Larga (oggi via Cavour), commissionato da Cosimo de' Medici a Michelozzo nel 1444, o come la residenza progettata da Leon Battista Alberti per i Rucellai, o infine come il palazzo in via di costruzione per il ricchissimo Luca Pitti.

Nella *Cronica rimata* di Giovanni Santi, padre di Raffaello, che nel 1468 era in viaggio per Milano al seguito di Federico da Montefeltro, Leonardo è menzionato tra le giovani promes-

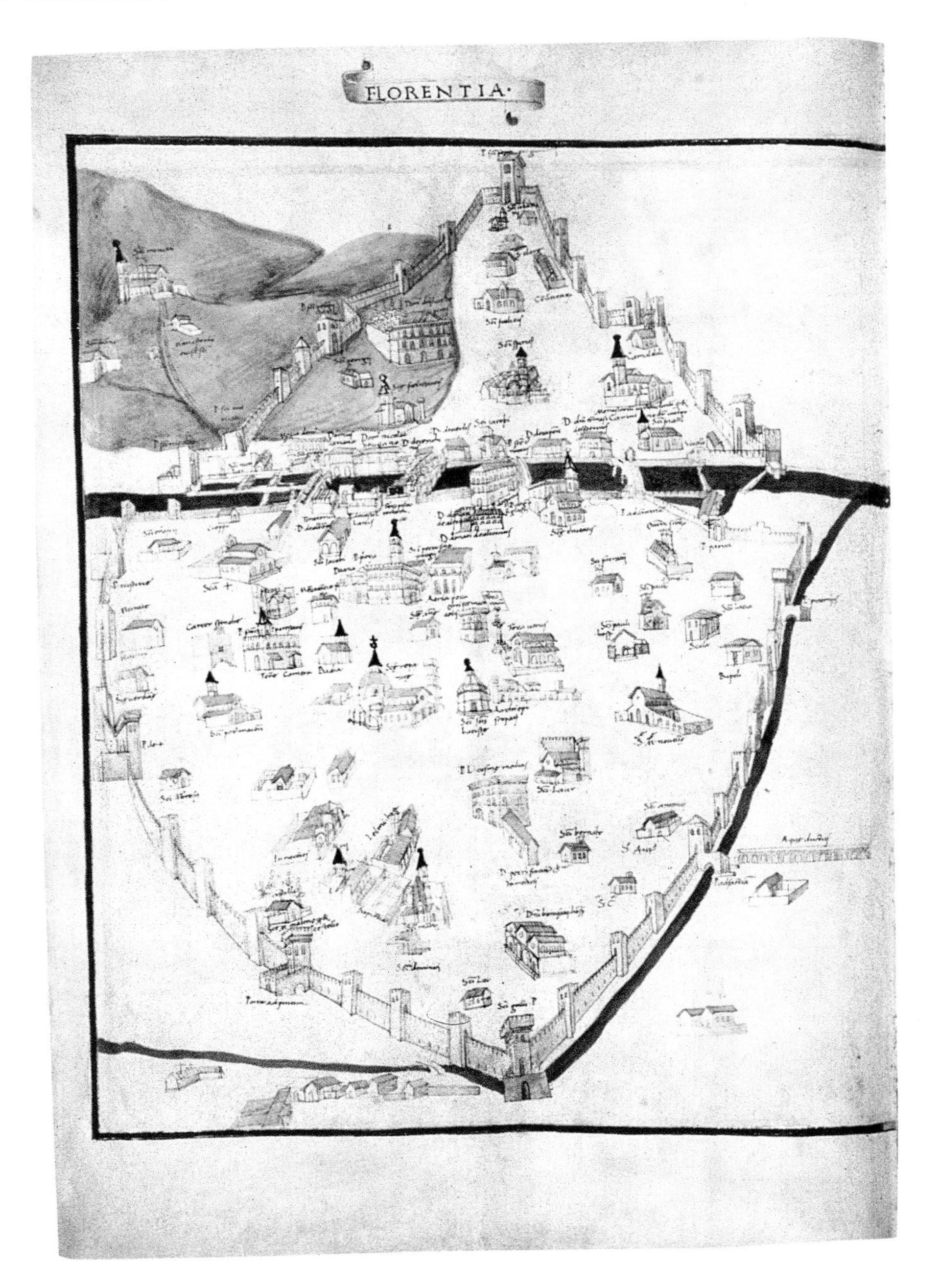
FLORENTIA

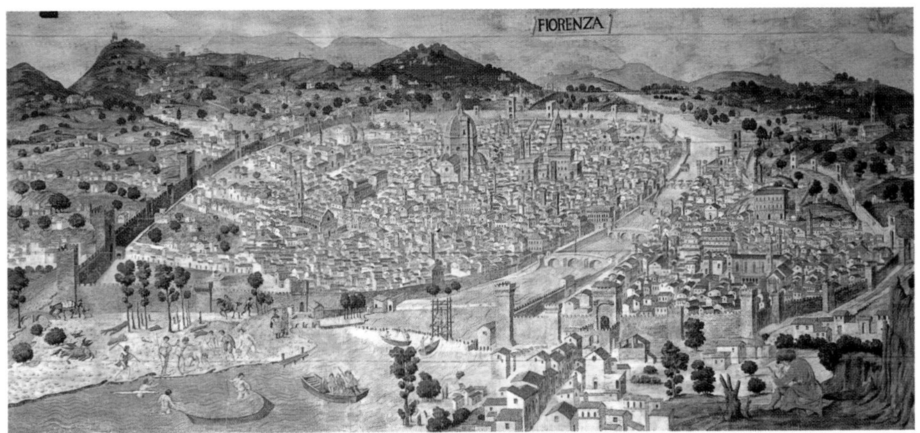
FIORENZA

La bottega d'artista nella Firenze del Quattrocento

Quella di Andrea del Verrocchio costituiva un esempio modello della tipica bottega d'artista del Quattrocento fiorentino. Luogo deputato della formazione di un artista, nel Rinascimento la bottega era anche un'impresa redditizia, dove un certo numero di allievi, diretti da un maestro affermato, facevano fronte a un ritmo di attività sostenuto, realizzando opere complesse come grandi cicli affrescati e lavori del tipo più vario. A bottega si entrava generalmente presto, bambini di dieci anni. Nel primo anno di tirocinio si imparavano le nozioni tecniche elementari. All'inizio un apprendista veniva messo quasi esclusivamente a disegnare, disegni a punta d'argento o a penna su carta bianca o colorata a tempera. L'insegnamento non puntava sull'acquisizione di nozioni teoriche ma cercava di trasmettere agli allievi nel minor tempo possibile quelle conoscenze pratiche che li avrebbero messi in grado di lavorare attivamente accanto al maestro. Un'altra caratteristica della bottega era una preparazione di tipo non specialistico ma interdisciplinare, dal disegno alla pittura, all'incisione, alla scultura, all'oreficeria. Alla bottega del Verrocchio, presumibilmente situata attorno al 1470 nella sua casa all'incrocio di via dell'Agnolo con l'attuale via de' Macci, Leonardo ebbe compagni diventati poi a loro volta famosi, da Botticelli al Perugino a Lorenzo di Credi a Domenico Ghirlandaio. Quest'ultimo aprì poi col fratello Davide un'altra celebre bottega, dove nel 1488 approdò il giovane Michelangelo.

Qui sopra:
cerchia di Andrea del Verrocchio, *Busto di Lorenzo il Magnifico* (1492 circa), Washington, National Gallery.

Qui sopra:
studio di mani (1475-1480), Windsor, Royal Library.

se di Firenze, una delle città dove fece tappa il duca d'Urbino: «Due giovin par d'etade e par d'amori / Leonardo da Vinci e 'l Perusino Pier della Pieve [Perugino] ch'è un divin pittore». È una conferma della precocità del talento artistico di Leonardo e della sua inclinazione per la pittura. Una passione che forse fu il vero e il semplice motivo – ancora tuttavia non chiarito – che spinse il dotatissimo adolescente a entrare alla bottega artistica del Verrocchio, uno dei più famosi maestri fiorentini del Quattrocento, apprezzato e ricercato da importanti committenti, tra cui gli stessi Medici.

L'anno di ingresso di Leonardo alla scuola del Verrocchio è solitamente fissato al 1469. Ricordando l'evento in questione, Vasari, nelle *Vite*, narra che fu ser Piero a prendere l'iniziativa: «Preso un giorno alcuni de' suoi [di Leonardo] disegni, gli portò ad Andrea del Verrocchio, ch'era molto amico suo, e lo pregò strettamente che gli dovesse dire, se Lionardo attendendo al disegno farebbe alcun profitto. Stupì Andrea nel veder il grandissimo principio di Leonardo, e confortò ser Piero che lo facesse attendere [al disegno]; onde egli ordinò con Lionardo ch'e' dovesse andare a bottega di Andrea. Il che Lionardo fece volentieri oltre a modo. E non solo esercitò una professione, ma tutte quelle ove il disegno si interveniva; ed avendo uno intelletto tanto divino e meraviglioso, che essendo bonissimo geometra, non solo operò nella scultura, facendo nella sua giovanezza di terra alcune teste di femine che ridono, che vanno formate per l'arte di gesso, e parimente teste di putti che parevano usciti di mano d'un maestro, ma nell'architettura ancora fe' molti disegni, così di piante come d'altri edifizii; e fu il primo ancora, che giovanetto discorresse sopra il fiume Arno per metterlo in canale da Pisa a Fiorenza. Fece disegni di mulini, gualchiere, ed ordigni che potessino andare per forza d'acqua; e perché la professione sua volle che fusse la pittura, studiò assai in ritrar di naturale e qualche volta in far modegli di figure di terra; e addosso a quelle metteva cenci molli interrati, e poi con pazienza si metteva a ritrargli sopra a certe tele

Qui sopra: Andrea del Verrocchio, *Dama del mazzolino* (1475 circa), Firenze, Museo nazionale del Bargello.

Qui sopra:
Andrea del Verrocchio, *David* (1465 circa), Firenze, Museo nazionale del Bargello.

sottilissime di rensa o di pannilini adoperati, e gli lavorava di nero e bianco con la punta del pennello, che era cosa miracolosa».

In questo brano Vasari mette bene l'accento sia sull'ampio bagaglio di esperienze che l'inserimento nell'importante bottega del Verrocchio fruttò al giovane Leonardo, sia sul grande talento di questo "enfant prodige", sul suo genio, che poté esprimersi e svilupparsi al meglio nell'incontro con le consuete, svariate pratiche di bottega.

Ancora nel 1476 Leonardo risulta presso il Verrocchio. E sebbene fin dal 1472 sia iscritto alla corporazione di San Luca, l'associazione dei pittori fiorentini, e quindi possa ricevere commissioni in proprio, fino a oggi la prima opera di Leonardo certamente e interamente autografa di cui abbiamo notizia è il disegno di paesaggio conservato agli Uffizi, datato «dì di Santa Maria della Neve, addì 5 d'agosto 1473». Il ventunenne artista vi raffigura la vallata dell'Arno vista dall'alto, dalle pendici del Montalbano, nei pressi di Vinci.

Alla scuola del Verrocchio, Leonardo lavora collaborando probabilmente ad alcune opere che vengono però commissionate e pagate direttamente e unicamente al maestro fiorentino: non solo dipinti – tra cui, per alcuni studiosi, la *Madonna Ruskin*, l'*Adorazione di Detroit* o la *Madonna di Camaldoli* – ma anche sculture, il genere per cui Verrocchio andava più che mai celebre. In quest'ultimo campo, l'intervento del precoce adolescente si estenderebbe perfino a opere famosissime come la *Dama del mazzolino* o il *David* (entrambe oggi al Bargello), l'efebica figura nella quale c'è chi ravvisa quantomeno un ritratto di Leonardo da giovane.

Per l'angelo attribuito a Leonardo nella tavola verrocchiesca col *Battesimo di Cristo* (oggi agli Uffizi), eseguita probabilmente tra il 1473 e il 1478 e destinata alla chiesa fiorentina di San Salvi, c'è l'aneddoto raccontato da Vasari sul Verrocchio che abbandona l'opera, costretto ad ammettere la superiorità del giovane allievo: «Mai più non volle toccare colori, sdegnatosi che un fanciullo ne sapesse più di

Qui sopra: *Madonna del garofano* (1478-1481), Monaco, Alte Pinakothek.

La Firenze di Lorenzo il Magnifico

Nel 1469 diventa signore di Firenze Lorenzo de' Medici, detto il Magnifico per le sue doti politiche e diplomatiche e per la sua attività di generoso mecenate, doti che ne faranno il simbolo stesso della Firenze del Quattrocento e più in generale del Rinascimento italiano. Nato nel 1449 da Piero de' Medici e Lucrezia Tornabuoni, Lorenzo era nipote di Cosimo il Vecchio, l'iniziatore della signoria medicea.
Al potere arriva giovanissimo, a soli vent'anni, in seguito alla prematura morte del padre, ereditando una situazione politica interna ancora parzialmente instabile, come dimostrerà la congiura dei Pazzi del 1478 – in cui troverà la morte il fratello Giuliano – ma decisamente orientata verso il definitivo consolidarsi del potere mediceo.
La signoria del Magnifico coincise con un periodo di prosperità e di pace nel frammentato scacchiere politico d'Italia grazie al mantenimento dell'equilibrio di cui proprio Lorenzo, soprannominato per questo l'"ago della bilancia" della politica italiana, fu il maggiore artefice. La sua presenza, inoltre, valse a scongiurare, fintanto che rimase in vita, il pericolo di un intervento straniero in Italia.
Con Lorenzo de' Medici Firenze raggiunse il suo massimo splendore, diventando la culla del Rinascimento italiano e il centro di irradiazione della nuova civiltà. Letterato e poeta egli stesso, collezionista di oggetti preziosi e di statue antiche nel famoso giardino di San Marco, frequentato sia da Leonardo che, poi, da Michelangelo, Lorenzo promosse con fervore le attività artistiche e culturali. Alla sua corte vissero e operarono letterati e filosofi come Luigi Pulci, Poliziano, Marsilio Ficino, Cristoforo Landino, Pico della Mirandola, nonché i maggiori artisti del tempo, da Botticelli ai Pollaiolo, dai Verrocchio ai Ghirlandaio, fino al giovane Leonardo, appunto, e al giovanissimo Michelangelo.

A sinistra: *Ritratto di Lorenzo de' Medici* (1483-1485), dal *Codice Atlantico* (f. 902 ii r), Windsor, Royal Library (12442r).

lui». Infine, un'altra opera che ancora nel 1478 Verrocchio, impegnato a Venezia nella progettazione del monumento al condottiero Bartolomeo Colleoni, affida probabilmente a Leonardo e a Lorenzo di Credi perché la completino, è un'importante pala d'altare per il duomo di Pistoia, la *Madonna di Piazza*. A Leonardo viene attribuita una parte della predella (oggi al Louvre) dov'è raffigurata l'*Annunciazione*.

Passando alle opere pittoriche interamente e certamente riferibili a Leonardo, bisogna innanzitutto ricordare che si tratta di un gruppo di dipinti piuttosto esiguo.

Tra le prime prove del geniale artista si possono ragionevolmente elencare alcuni lavori di più stretta osservanza verrocchiesca, come la *Madonna del garofano*, la *Madonna Benois* o la perduta *Madonna del gatto*. Permane invece l'incertezza attributiva per la *Madonna Dreyfus* della National Gallery di Washington, su cui la critica si divide facendo ora il nome di Leonardo, ora quello di Lorenzo di Credi. Il primo e unico ritratto di ambiente fiorentino è quello di *Ginevra Benci*, eseguito probabilmente attorno al 1475. Come gli altri ritratti leonardiani, anche questo presenta una figura a mezzo busto che evoca i busti scolpiti dal Verrocchio, in particolare la *Dama del mazzolino* o *dalle belle mani*. Ma nel dipinto di Leonardo il taglio dell'immagine esclude il particolare delle mani, così decisivo nella scultura verrocchiesca. Tuttavia l'incompleto emblema della gentildonna fiorentina, sul retro della tavola, prova che l'opera è mutila della parte inferiore e che il pezzo mancante risulta delle dimensioni adatte ad accogliere braccia e mani atteggiate come nella scultura del Verrocchio.

Simbolico, e insieme già caratterizzato dalla precisione botanica dovuta all'attento studio del mondo vegetale che Leonardo conduce in numerosi schizzi e disegni eseguiti nell'arco della sua vita, è lo sfondo del dipinto dove la fitta parete di aghi di ginepro allude al nome della modella, Ginevra.

Capolavoro giovanile di Leonardo è l'*Annunciazione* oggi agli Uffizi. Il tema del dipinto aveva una tradizione ben attestata nel-

Qui sopra: Andrea del Verrocchio e Leonardo, *Battesimo di Cristo* (1473-1478), Firenze, galleria degli Uffizi.

Qui sopra:
testa di angelo, studio per il *Battesimo di Cristo* di Verrocchio e Leonardo (1473), Torino, Biblioteca reale.

A sinistra:
studio di mani, Windsor, Royal Library.
Nella pagina a fianco:
Andrea del Verrocchio e Leonardo, *Battesimo di Cristo* (1473-1478), particolare degli angeli, Firenze, galleria degli Uffizi.

la pittura toscana di epoca recente, da Simone Martini a Beato Angelico, al Pollaiolo. Ma l'impostazione spaziale della scena fa dell'opera leonardiana una sorta di predella formato gigante, anziché una pala di tipo tradizionale. Il dipinto presenta alcune incertezze di esecuzione che lo hanno fatto ritenere opera dei primi anni Settanta. Le affinità stilistiche con l'*Annunciazione* del Louvre, invece, fanno datare il quadro degli Uffizi a partire dal 1478. In realtà è possibile che Leonardo abbia lavorato per più anni a quest'opera, facendone un compendio di tutti gli insegnamenti appresi alla scuola del Verrocchio. Tra gli errori più eclatanti, quello prospettico relativo al braccio destro della Vergine, troppo arretrata rispetto al leggio per poter raggiungere con la mano il libro da quella posizione. A ogni modo la bellezza delle figure e l'armonia dell'insieme sono tali da rendere inavvertibili i pochi difetti di questo ammirato dipinto.

Culmine dell'esperienza fiorentina di Leonardo è un altro quadro degli Uffizi, l'*Adorazione dei magi*. L'opera fu dipinta per un convento nei dintorni di Firenze, San Donato a Scopeto, per il quale il padre di Leonardo, ser Piero da Vinci, prestava nel 1481, anno della commissione, i suoi consueti servigi di notaio. Nel 1482, alla sua partenza per Milano, l'artista lasciò però la tavola incompiuta e i frati di Scopeto dovettero rivolgersi a un altro pittore e aspettare ben quindici anni per vedere nella loro chiesa una pala dell'*Adorazione* completa in ogni sua parte. Questa fu infine realizzata da Filippino Lippi che prese spunto dall'abbozzo di Leonardo, svolgendolo però in modo più tradizionale.

Anche il tema dell'Adorazione non era un soggetto estraneo alla tradizione artistica toscana precedente e contemporanea. Leonardo però lo rinnova in maniera decisiva, dopo una lunga preparazione condotta su una nutrita serie di disegni. La scena è insolitamente ambientata all'aperto, con la capanna della Natività fortemente decentrata sulla destra dell'opera e solo parzialmente visibile, al pari del

Qui a fianco: studio per una *Madonna del gatto* (1478-1480), Londra, British Museum.

A sinistra: studio dal vero per una *Madonna del gatto* (1480-1483), Firenze, galleria degli Uffizi, Gabinetto dei disegni e delle stampe.
Qui sotto, da sinistra: studio di giovane col bambino in braccio (1478-1480), Londra, British Museum; studio di putto (1480 circa), Firenze, galleria degli Uffizi.

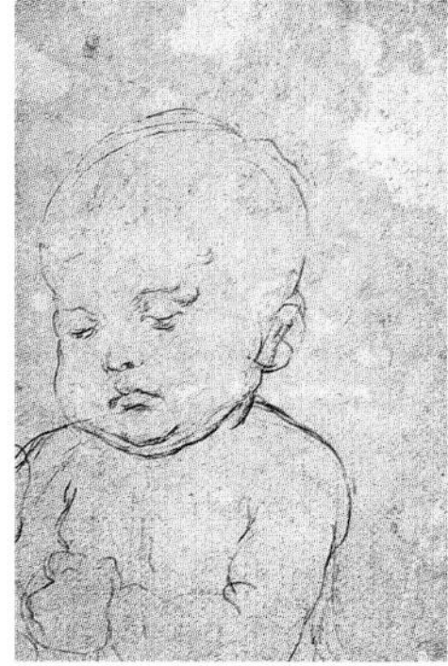

Nella pagina a fianco: *Madonna Benois* (1478-1480), San Pietroburgo, Ermitage.

bue e dell'asino. Le figure si organizzano attorno al personaggio della Vergine, al centro della composizione. La concitazione dei loro gesti crea una tensione dinamica dell'insieme in cui alcuni vedono già tradursi quei moti interiori («moti mentali», come li chiama Leonardo) a partire da un centro propulsore che poi caratterizzeranno il *Cenacolo* milanese. Nell'*Adorazione*, tuttavia, la prospettiva conduce l'occhio verso un punto di fuga che non è centrale ma è posto tra i due alberi – l'alloro della vittoria e la palma del martirio – in alto a destra. E c'è chi ha notato come con questa scelta Leonardo abbia voluto alludere, con una sorta di artificio cinematografico ante litteram, cioè con una specie di carrellata immaginaria che si sposta da destra a sinistra, a un evento accaduto poco tempo prima, ovvero la Natività. Questa verrebbe così incorporata temporalmente e idealmente nell'altro fondamentale evento dell'Epifania. Se è così, nel personaggio in primo piano sull'estrema destra che guarda fuori della scena andrebbe visto un autoritratto dello stesso Leonardo, il "regista" che introduce alla sua creazione.

Un'ultima aggiunta. Tra le innovative istanze dell'*Adorazione*, appare già spiccata la preoccupazione anatomica che sarà propria degli anni successivi. Nel modellare le singole figure, Leonardo sfrutta qui la preparazione del supporto, creando volumi chiari e luminosi che emergono dalle zone d'ombra tratteggiate a bistro.

La stessa attenzione all'anatomia del corpo umano è condivisa e anzi accentuata in un altro dipinto coevo e parimenti non finito di Leonardo, il *San Gerolamo* oggi alla Pinacoteca vaticana. Qui il corpo del santo sembra anticipare i modelli anatomici disegnati trent'anni dopo, attorno al 1510, ma nella figura statuaria dell'eremita lo studio "tecnico" diventa vivo, facendosi carne e sangue in un personaggio artisticamente riuscito. In passato il dipinto è stato oggetto di varie vicissitudini. Sembra per esempio che uno dei suoi antichi proprietari, il cardinale Fesch, zio di Napoleone, lo acquistasse – mutilo della testa di san Gerolamo –

Qui sopra:
Annunciazione (1475-1480), particolare, Firenze, galleria degli Uffizi.

Nella pagina a fianco, dall'alto:
Annunciazione (1475-1480), Firenze, galleria degli Uffizi;
Annunciazione (1478), Parigi, Louvre;
Annunciazione (1475-1480), particolare, Firenze, galleria degli Uffizi.

da un rigattiere che lo usava come coperchio di una cassa; il pezzo mancante sarebbe poi stato ritrovato nella bottega di un calzolaio che ne aveva fatto la seduta di uno sgabello.

Il marcato interesse per l'anatomia che emerge già in questi dipinti giovanili, e che negli anni milanesi troverà poi pieno e autonomo sviluppo in una serie di significativi studi, introduce al discorso della personalità eclettica di Leonardo e della compresenza armonica di molteplici interessi nella sua ricerca.

In quanto genio eclettico, Leonardo è in certo modo paragonabile ad altri grandi protagonisti del Rinascimento italiano, da Leon Battista Alberti a Michelangelo, a Raffaello. Tuttavia, l'interdisciplinarità che caratterizza i suoi studi appare in lui più accentuata e organica. Le sue indagini nei vari campi del sapere risultano infatti più strettamente collegate, riflettendosi spesso le une sulle altre. Così, per esempio, i suoi studi anatomici, ottici o anche botanici, influenzano direttamente la sua produzione artistica. Tanto che nei dipinti di Leonardo la raffigurazione del corpo umano, gli elementi strutturali della composizione e perfino i riferimenti vegetali non hanno solo una valenza artistica nel senso di estetica, non rispondono cioè unicamente ai criteri imperanti – soprattutto nell'ambiente fiorentino, dominato dal neoplatonismo ficiniano – di bello e armonioso ma rispecchiano anche un modo "scientifico" di guardare al mondo reale, come viene confermato da Leonardo stesso quando dichiara che la pittura è «filosofia», ovvero, nel linguaggio dell'epoca, è scienza. Questo significa che l'arte è per Leonardo uno dei modi possibili – seppure un modo particolarmente coinvolgente e suggestivo – di interpretare e trasmettere fedelmente la conoscenza del mondo sensibile.

All'epoca del suo apprendistato fiorentino Leonardo dovette occuparsi soprattutto di pittura e scultura, ma le pratiche di bottega, come è noto, erano le più diverse ed era normale che gli allievi sperimentassero anche l'arte dell'incisione o imparassero a saldare, a cesellare, a fondere e così via. Per Leonardo fu forse un primo stimolo a indirizzarsi verso inte-

Qui sopra:
Sandro Botticelli,
Adorazione dei magi (1475 circa), Firenze, galleria degli Uffizi.
A sinistra:
Filippino Lippi, *Adorazione dei magi* (1496), Firenze, galleria degli Uffizi.

Qui sopra:
Adorazione dei magi (1481),
Firenze, galleria degli Uffizi.
A destra:
studio prospettico
per l'*Adorazione dei magi*
(1480 circa), Cambridge,
Fitzwilliams Museum.

Nella pagina a fianco,
in basso a destra:
Raffaello (attr.),
copia del particolare di sinistra
nell'*Adorazione* di Leonardo,
Parigi, Louvre.

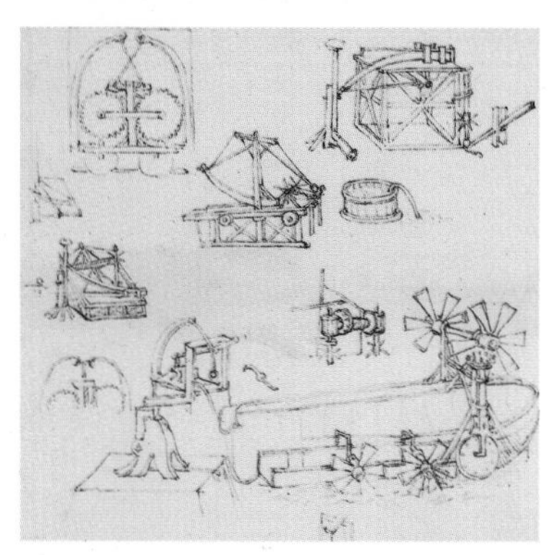

Qui sopra:
ritratto mutilo
di *Ginevra Benci* (1475 circa),
Washington, National Gallery.
A sinistra:
battello azionato da pale
a vento, copia (1530 circa)
da disegno perduto
di Leonardo,
Firenze, galleria degli Uffizi,
Gabinetto dei disegni
e delle stampe.

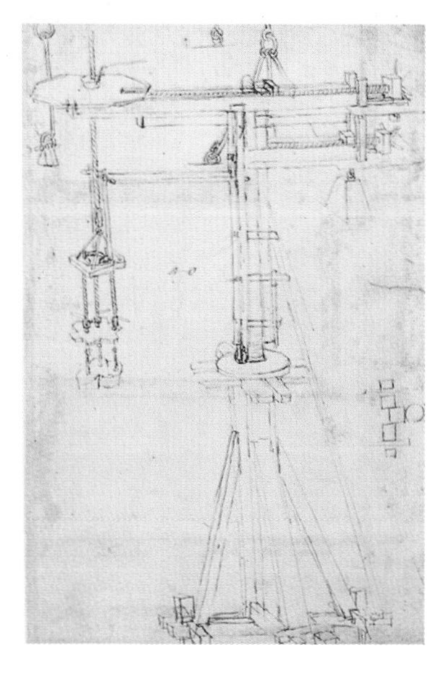

A sinistra:
gru girevole
(1478-1480 circa),
Codice Atlantico (f. 965r),
Milano, Biblioteca
ambrosiana.

ressi più tecnici. Tanto più che proprio a Verrocchio fu commissionata nel 1469, cioè in quello che viene ritenuto abitualmente l'anno di ingresso del giovane artista nella bottega del maestro fiorentino, la palla dorata che doveva coronare la cupola del Duomo costruita da Brunelleschi.

Non è improbabile che Leonardo collaborasse all'impresa. Certamente poté osservare il lavoro da vicino e ancora molti anni dopo, nel 1515, ne conserverà memoria: «Ricordati delle saldature con che si saldò la palla di Santa Maria del Fiore». Anzi, è forse da qui che prese avvio il suo interesse per il calcolo e per la geometria, suscitato dalle difficoltà tecniche che la realizzazione della sfera comportava, come pure dal problema del suo innalzamento fino a sopra la cupola, dove fu collocata nel 1470. Ed è possibile che questa stessa esperienza abbia destato la curiosità del giovane allievo del Verrocchio per le macchine usate da Brunelleschi (morto nel 1446) nel cantiere della cupola. Tanto è vero che in alcuni dei più antichi fogli manoscritti di Leonardo, databili dalla metà degli anni Settanta, sono riprodotti dei dispositivi brunelleschiani. Questi disegni sembrano dunque costituire, assieme ad alcune figure geometriche, le testimonianze più remote del fondamentale allargamento di campo dell'orizzonte leonardiano. A riprova di un precoce contatto del geniale artista con la tecnologia e le invenzioni di Brunelleschi c'è poi anche un foglio recentemente scoperto al Gabinetto dei disegni e delle stampe degli Uffizi, in cui un anonimo autore cinquecentesco tramanda alcuni disegni di Leonardo in gran parte perduti. Tra questi, quello di un battello che richiama alla mente il leggendario «Badalone», l'imbarcazione inventata e brevettata da Brunelleschi per il trasporto dei marmi sull'Arno, sempre al tempo della costruzione della cupola di Santa Maria del Fiore. Arenatosi presso Empoli, il "Badalone" forse era stato visto da Leonardo, quando da ragazzo viveva nella non lontana Vinci. E aveva certamente colpito la fervida immaginazione di quell'adolescente assetato di sapere e di avventura.

Qui sopra: *San Gerolamo* (1480-1482), Roma, Pinacoteca vaticana.

Qui sopra: *Vergine delle rocce* (1508), Londra, National Gallery.

Qui sopra: particolare della facciata del Castello sforzesco a Milano.

Nella pagina a fianco: decorazione pittorica della sala delle Asse (1498 circa), Milano, Castello sforzesco.

Milano e la corte sforzesca

Nel 1482, come si è già accennato, Leonardo abbandona Firenze per Milano. Secondo la testimonianza dell'Anonimo Gaddiano, a portarlo nel capoluogo lombardo è una missione diplomatico-culturale affidatagli da Lorenzo de' Medici che, allo scopo di rinsaldare i suoi rapporti con il duca di Milano Ludovico Sforza, detto il Moro, gli invia, tramite Leonardo e il musico Atlante Migliorotti, una preziosa lira d'argento a forma di teschio di cavallo. L'evento sembra dunque rientrare nel piano di scambi culturali promossi dal Magnifico a fini diplomatici, come per esempio l'invio a Roma di artisti quali Botticelli, Perugino, Ghirlandaio, Piero di Cosimo che avrebbero lavorato alla corte pontificia. Scrive l'Anonimo Gaddiano: «[Leonardo] aveva trent'anni che da detto magnifico Lorenzo fu mandato al duca di Milano [...] a presentargli una lira, che unico era in sonare tale extrumento».

Quest'ultimo giudizio dà modo di accennare brevissimamente a un altro mitico aspetto dell'eclettica personalità di Leonardo, quello di musico e inventore di strumenti musicali connesso con l'altro di maestro cerimoniere o, come si direbbe oggi, dell'effimero, ruolo in cui il suo genio versatile si troverà a cimentarsi con l'allestimento di feste e spettacoli. Tali interessi sono testimoniati nei codici leonardiani da disegni di tamburi meccanici, o di strumenti a fiato con tastiera, o ancora altri congegni musicali, e da studi di costumi, automi o congegni idraulici per effetti scenografici o sonori, restandone forse una traccia anche nella decorazione della sala delle Asse.

Al suo arrivo a Milano, Leonardo si fa precedere da una lettera indirizzata al Moro. Come in un curriculum ante litteram, vi si trovano elencate le varie competenze – ben trentasei diversi campi di attività – per cui ritiene di poter essere utilmente impiegato dal duca Ludovico. Ciò su cui maggiormente si insiste sono le sue capacità di ingegnere militare e civi-

La Milano di Ludovico il Moro

Ludovico Sforza, detto il Moro, era il quarto figlio di Francesco Sforza e Bianca Maria Visconti. Nel 1476, alla morte del duca Galeazzo Maria, suo fratello, Ludovico, comincia a tramare per impadronirsi del potere a spese del legittimo erede del ducato, il nipote Gian Galeazzo. Ci riesce infine nel 1480, facendosi nominare tutore del nipote e liberandosi di pericolosi avversari come il segretario di Stato Cicco Simonetta e la cognata Bona di Savoia. Il suo governo "di fatto" viene però osteggiato dalla moglie dell'inetto Gian Galeazzo, Isabella d'Aragona, sostenuta da suo zio il re di Napoli. Proprio il crescente attrito col regno di Napoli alla fine indurrà il Moro a sollecitare e appoggiare l'intervento in Italia, nel 1494, del re francese Carlo VIII che rivendicava i suoi diritti sul trono aragonese. Ma dall'appello al re di Francia nascerà anche la rovina dello Sforza, poiché nel 1499 il nuovo re dei francesi, Luigi XII, invaderà con le sue truppe il ducato di Milano conquistandolo. Nella capitale del suo ricco e operoso stato, il Moro e la sua ambiziosa moglie, Beatrice d'Este, promossero una cultura, se così si può dire, di "importazione", assicurandosi per il prestigio della propria corte grandi ingegni venuti soprattutto da fuori, primi fra tutti Leonardo e Bramante.

Qui sopra:
Anonimo lombardo,
Pala sforzesca (fine XV secolo),
particolare con Ludovico il Moro,
Milano, pinacoteca di Brera.

Nella pagina a fianco:
Vergine delle rocce
(1483-1486),
Parigi, Louvre.

le, oltre a quelle naturalmente di pittore e scultore. Milano, che è allora a capo di uno stato ricco, moderno e dinamico, dove si respira un clima culturale che si tinge fortemente di pragmatismo, è probabilmente vista da Leonardo come il luogo ideale delle sue ricerche a vasto raggio. Perdipiù, nel 1482 la città è impegnata al fianco di Ferrara in una delle periodiche guerre che nel Quattrocento oppongono i vari stati italiani, e questo certamente rende le sue competenze in campo militare ancora più appetibili. Fatto sta che Leonardo si ferma nel capoluogo lombardo, restando al servizio di Ludovico il Moro per quasi vent'anni, fino al 1499, quando il ducato sarà invaso dalle truppe del re di Francia, Luigi XII.

Al servizio dello Sforza l'artista può beneficiare di uno stipendio fisso e anche di una vigna prima appartenuta al monastero di San Vittore, situata fra porta Vercellina e la pusterla di Sant'Ambrogio. In città Leonardo alloggia nel quartiere di Porta Ticinese con i fratelli de' Predis, autori dei pannelli laterali (oggi a Londra) della *Vergine delle rocce* del Louvre, che è il suo primo dipinto milanese. L'opera gli viene commissionata nel 1483 dalla confraternita dell'Immacolata concezione per la chiesa – oggi distrutta – di San Francesco Grande. Un suggestivo scenario di rocce, da cui il titolo, dove crescono ciuffi di piante, tutte realmente esistenti e rese dall'artista con sapienza botanica, fa da sfondo al gruppo della Vergine col Bambino, san Giovannino e un angelo dalla fisionomia dolcissima. L'iconografia enigmatica e il contenuto ermetico della tavola, senza dubbio legati al mistero dogmatico dell'Immacolata concezione a cui era intitolata la confraternita committente, sono tuttora oggetto di acceso dibattito.

Se di soggetto sacro è anche il più famoso dei dipinti eseguiti da Leonardo a Milano – il *Cenacolo* affrescato in Santa Maria delle Grazie –, durante la sua permanenza alla corte di Ludovico il Moro il geniale artista dipinge inoltre straordinarie opere di soggetto profano in cui sono mirabilmente ritratti personaggi della corte sforzesca.

61

A sinistra:
La Belle Ferronnière (1495-1498), Parigi, Louvre.

Qui sopra:
Ritratto di musico (1490 circa), Milano, Pinacoteca ambrosiana.

I ritratti e il Cenacolo

Al 1490 circa risale il *Ritratto di musico*, in cui generalmente si ravvisa l'allora maestro di cappella del duomo di Milano, Franchino Gaffurio. Se nella resa scultorea della figura agisce ancora l'influsso toscano, nei colori, nel taglio, nel fondo scuro e uniforme si avverte invece l'influenza della ritrattistica fiamminga mediata da Antonello da Messina. Magistrale la resa degli occhi dai riflessi vitrei, frutto di attento studio, che si impongono come «finestra dell'anima» (l'espressione è dello stesso Leonardo) e punto focale della composizione.

Leggiadre e al tempo stesso potenti sono le due immagini femminili della *Dama dell'ermellino* e della *Belle Ferronnière*, entrambe indimenticabili per concisione e forza di rappresentazione. Leonardo vi sperimenta il cosiddetto "ritratto di spalla", messo a punto nel corso di vari studi sulle potenzialità dinamiche e plastiche del corpo umano di cui resta un significativo esempio nel foglio a Windsor dove un busto di donna, osservato con movimento aggirante, è ritratto da diciotto punti di vista diversi.

La *Dama dell'ermellino* è il ritratto della diciassettenne amante del duca di Milano, Cecilia Gallerani. Al suo nome allude infatti l'ermellino (in greco "galè") che la giovane tiene in braccio, come già il ginepro si riferiva a Ginevra Benci nel ritratto della dama fiorentina. Ma c'è di più; simbolo polivalente, il grazioso animale rinvia tradizionalmente anche al candore e alla moderazione; inoltre evoca lo stesso Ludovico il Moro, chiamato «l'italico morel, bianco ermellino» in un sonetto che il poeta di corte Bernardo Bellincioni dedica nel 1493 al dipinto in questione. Senza contare che il duca era stato insignito della prestigiosa onorificenza dell'ordine dell'Armellino – appunto – conferitagli dal re di Napoli tra il 1488 e il 1490, gli anni a cui probabilmente risale l'esecuzione.

A un'altra favorita del Moro è invece dedicato *La Belle Ferronnière*, presumibilmente

Qui sopra: *Dama dell'ermellino* (*Ritratto di Cecilia Gallerani*) (1488-1490), Cracovia, Czartoryski Muzeum.

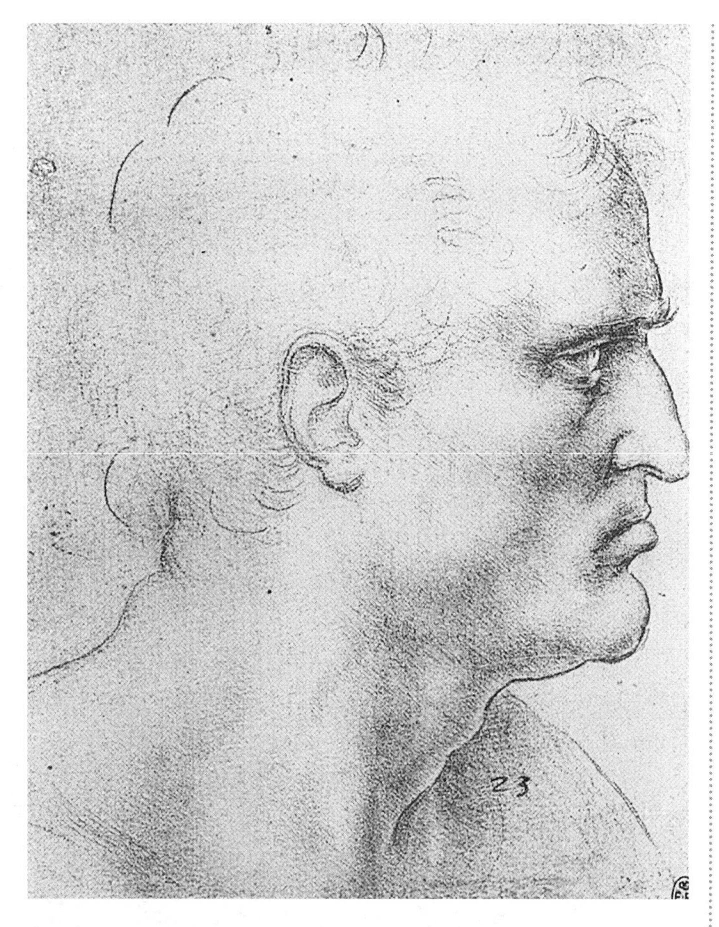

Qui sopra, dall'alto:
studio di testa di Bartolomeo per il *Cenacolo* (1495 circa), Windsor, Royal Library; studio compositivo per il *Cenacolo* (1493-1494), Venezia, Gallerie dell'Accademia.

Lucrezia Crivelli, succeduta alla Gallerani nelle grazie del duca. Il titolo del dipinto, datato tra il 1495 e il 1498, fu dato erroneamente nel Settecento, quando lo si credette un ritratto dell'amante non di Ludovico Sforza ma del re di Francia Francesco I, legato per alcuni alla moglie di tal Le Ferron, per altri invece alla moglie di un venditore di ferramenta, come indicherebbe la traduzione letterale di "ferronnière". Un dato curioso è che nel primo Ottocento il dipinto contribuì a lanciare tra le signore la moda della catenella (o nastro) con pietra preziosa al centro, portata sulla fronte come la bella modella di Leonardo e proprio per questo motivo chiamata "ferronnière".

Ma l'opera più impegnativa e famosa realizzata da Leonardo durante il primo soggiorno milanese è, come si è già accennato, il *Cenacolo* di Santa Maria delle Grazie. Il monumentale dipinto murale fu iniziato attorno al 1495 e completato sicuramente entro il 1498, quando ne parla il matematico Luca Pacioli che lo ricorda nella lettera dedicatoria del *De divina proportione* a Ludovico il Moro. La genesi del dipinto è sfortunatamente povera di riferimenti. Da un lato, manca totalmente la documentazione riguardo alla committenza e alle ragioni della nascita dell'ambizioso progetto nel contesto contemporaneo; dall'altro gli studi preparatori rimasti sono alquanto scarsi. Dal punto di vista iconografico, è interessante la testimonianza fornita molti anni dopo, nel 1517, da Antonio de Beatis, segretario del cardinale Luigi d'Aragona, che all'indomani del suo incontro con Leonardo ad Amboise afferma di aver ricevuto dal maestro la confidenza che le figure del *Cenacolo* ritraggono personaggi della corte sforzesca e anche gente di strada, cosa, quest'ultima, confermata anche da alcune annotazioni dello stesso Leonardo. Ciò detto, una sicura fonte di ispirazione per le figure di Cristo e degli apostoli è certamente stata la tradizione agiografica, in primo luogo i Vangeli; inoltre l'artista ha probabilmente fatto tesoro dei suoi studi di fisiognomica, concepiti in stretta relazione con quelli di anatomia, per

Qui sopra: *Cenacolo* (1495-1498), Milano, Santa Maria delle Grazie.

Dall'alto:
Domenico Ghirlandaio, *Ultima cena* (1480), Firenze, ex convento di Ognissanti; *Cenacolo* (1495-1498), particolare con Matteo, Milano, Santa Maria delle Grazie.

Nella pagina a fianco:
Cenacolo (1495-1498), particolare del Cristo, Milano, Santa Maria delle Grazie.

rendere la gamma e le sfumature dei sentimenti e delle emozioni, i famosi «moti mentali»: «Quando fai la figura, pensa bene chi ella è e quello che tu vuoi che ella facci», scrive Leonardo sotto un disegno preparatorio per il *Cenacolo* in un foglio oggi a Windsor. Tra i dati che sembrano fedelmente attenersi al racconto evangelico rientra anche l'ambientazione. Infatti, prima che il pavimento del refettorio fosse considerevolmente rialzato, la scena risultava ritratta da un punto di vista posto a sei metri d'altezza, ovvero al livello del secondo piano che normalmente avrebbe occupato in una tipica costruzione mediterranea del I secolo proprio il locale descritto nei versetti di Marco e Luca (XIV, 15 e XXII, 12). Va inoltre ricordato che Leonardo, pur guardando alla tradizione pittorica precedente – da Taddeo Gaddi ad Andrea del Castagno, al Ghirlandaio –, si dissocia dall'iconografia seguita dalla maggioranza degli artisti che avevano affrontato il tema dell'Ultima cena, rinunciando a isolare Giuda al di qua del tavolo del banchetto. L'apostolo traditore è infatti ritratto in mezzo ai suoi compagni, sei per parte ai lati del Cristo e ritmicamente suddivisi in gruppi di tre. La decisione fu forse condizionata da un'esplicita richiesta dei domenicani cui apparteneva il convento di Santa Maria delle Grazie. L'ordine faceva infatti del libero arbitrio un tema fondamentale della propria predicazione ed è probabilmente per illustrare il pensiero domenicano su questo punto che Giuda viene presentato alla stessa stregua degli altri personaggi, come qualcuno che potendo scegliere tra bene e male decide volontariamente di compiere il male. Raffigurarlo già colpevolmente fuori del gruppo come un "predestinato" senza appello, evidentemente non sarebbe stato giudicato corretto. Una conferma del fatto che questa iconografia nasce in ambito domenicano sembra venire da altri dipinti di identico soggetto destinati a conventi dell'ordine, per esempio dall'*Ultima cena* di Beato Angelico per l'*Armadio degli argenti* nel convento di San Marco a Firenze.

Dall'alto:
studio per la fusione del monumento equestre di Francesco Sforza (1493 circa), particolare, *Codice di Madrid II* (f. 149r);
Andrea del Verrocchio, *Monumento equestre di Bartolomeo Colleoni* (1479), Venezia, campo dei Santi Giovanni e Paolo.

Nella pagina a fianco, dall'alto:
studio di cavallo impennato e cavaliere che travolgono un nemico caduto (1490 circa), Windsor, Royal Library;
Nettuno con i cavalli (1504 circa), Windsor, Royal Library.

A causa della tecnica usata – colori a tempera su due strati di preparazione, non però stesi "a fresco", cioè sulla parete ancora bagnata –, e anche in conseguenza dell'umidità, il *Cenacolo* ha subìto un deterioramento precoce che ne ha compromesso irrimediabilmente la leggibilità. I primi restauri risalgono al Settecento, mentre l'ultimo radicale intervento di ripulitura si è protratto dal 1978 al 1999 recuperando colori e particolari da tempo perduti.

Infine, un'altra opera di questo primo periodo milanese che si annunciava altrettanto grandiosa, ma che non fu mai realizzata è il monumento equestre di Francesco Sforza, che avrebbe dovuto celebrare il capostipite della casata. Il progetto appariva molto ambizioso. Prevedeva una grandiosa scultura di dimensioni maggiori di quelle, già eccezionali, esibite dai due più famosi monumenti contemporanei dello stesso genere, quello del Gattamelata eseguito da Donatello a Padova e quello di Bartolomeo Colleoni realizzato a Venezia proprio dal maestro di Leonardo, il Verrocchio. Nel gruppo di Leonardo, infatti, il solo cavallo avrebbe misurato ben sei metri di altezza. L'artista lavorò lungamente e con accanimento al monumento Sforza, riuscendo ad approntare un modello in creta del cavallo a grandezza naturale e completando – insieme al matematico Luca Pacioli – i calcoli necessari alla fusione in bronzo. A vanificare gli sforzi di un decennio fu l'invasione francese del 1499. Le truppe di Luigi XII distrussero il modello del cavallo, mentre Leonardo si allontanò da Milano per far ritorno a Firenze.

Fin qui si è parlato della produzione artistica del maestro toscano al servizio del Moro. Ma l'attività di Leonardo in campo artistico copre solo una piccola parte del suo operato di questi anni. Infatti, proprio come aveva garantito nella citata lettera al duca, l'eclettico trentenne venuto di Toscana è destinato a ricoprire molti ruoli alla corte sforzesca, spaziando con le sue ricerche in più campi contemporaneamente.

L'"amor dei garzoni": Leonardo e l'omosessualità

Nel 1476, all'epoca del suo apprendistato presso il Verrocchio, Leonardo subì un processo per sodomia che si concluse con la sua assoluzione. L'accenno a questo episodio serve a introdurre il tema della presunta omosessualità di Leonardo, argomento a lungo taciuto e spesso negato, come sottolinea già Freud nel suo scritto del 1910 sull'artista. Per il medico viennese, la diversità sessuale del maestro di Vinci è un dato di fatto e viene ricondotta, attraverso l'approccio psicoanalitico che era allora in fase di messa a punto, al vissuto infantile dell'artista. Ma all'omosessualità di Leonardo fa esplicito riferimento un testo molto più antico, il *Libro dei sogni* scritto dal pittore e teorico lombardo Giovan Paolo Lomazzo attorno al 1560, solo una quarantina d'anni dopo la morte dell'artista. Nella finzione poetica, è lo stesso Leonardo a parlare dei suoi rapporti particolari con Salaì, dicendo che fu questo l'allievo che «in vita più che tutti gli altri amai che diversi furo» e dando inizio, poco dopo, a una lunga tirata «su l'amor dei garzoni» che è una vera e propria dissertazione elogiativa sull'omosessualità, corredata da esempi classici e battute salaci. Nello stesso *Libro dei sogni* Leonardo, rivendicando a Firenze una sorta di "primato" della sodomia, fa un'allusione al Perugino, suo compagno, giovanissimo, nella bottega del Verrocchio. Nella *Cronaca rimata* scritta da Giovanni Santi (padre di Raffaello) intorno al 1488, l'autore accenna proprio ai due apprendisti Leonardo e Perugino come a «due giovin par d'etade e par d'amori».

A sinistra: particolare dell'*Adorazione dei magi*: si ritiene che il giovane raffigurato possa essere un autoritratto di Leonardo all'età di trent'anni (1481), Firenze, galleria degli Uffizi.

Nella pagina a fianco: studio di chiesa a pianta centrale (1487-1489), *Manoscritto B* (f. 95r).

Le opere di ingegneria e di architettura

Tra le sue fondamentali mansioni c'è, per esempio, quella di ingegnere ducale. In tale veste Leonardo si occupa di architettura civile e militare e di problemi "sul territorio", anche se in questi settori il suo impegno non sembra andare oltre le consulenze e le proposte, non potendosi definire precisamente se e cosa sia stato da lui realizzato in campo pratico. Al periodo milanese risalgono anche i primi studi architettonici noti di Leonardo. Dei progetti giovanili resta infatti traccia solo nel racconto di Vasari che ricorda quello, non posto in opera, per sollevare il Battistero fiorentino collocandolo su una base poligonale. I disegni del maestro per il tiburio del duomo di Milano risalgono al biennio 1488-1490. A questi va aggiunta una serie di proposte e di riflessioni su edifici di culto a pianta centrale cui forse non sono estranee le discussioni con grandi e sperimentati architetti come Bramante e Giuliano da Sangallo, anch'essi attivi nel capoluogo lombardo in quel periodo. Parallelamente, Leonardo mette a punto anche modelli di costruzioni militari, come nei progetti per gli impianti di fortificazione della stessa Milano, di Vigevano o di Pavia che appaiono parzialmente influenzati dal massimo esponente di architettura militare del tempo, Francesco di Giorgio Martini.

Come si è già ricordato, le conseguenze pratiche di questi studi sono incerte. È sicuro, invece, che la progettazione di modelli architettonici apre all'artista la strada verso ancora altri campi di indagine. Come per una specie di "effetto valanga", Leonardo sembra infatti animato, quale che sia l'argomento di cui si occupa in un dato momento, da un'inesauribile curiosità intellettuale che lo porta da una cosa all'altra in un processo di continua scoperta e approfondimento. Così, dai progetti architettonici prenderanno avvio, per esempio, i suoi studi di statica costruttiva. Mentre ancora nuovi interessi nasceranno in successione da altri progetti o problemi a cui lavora durante il soggiorno mi-

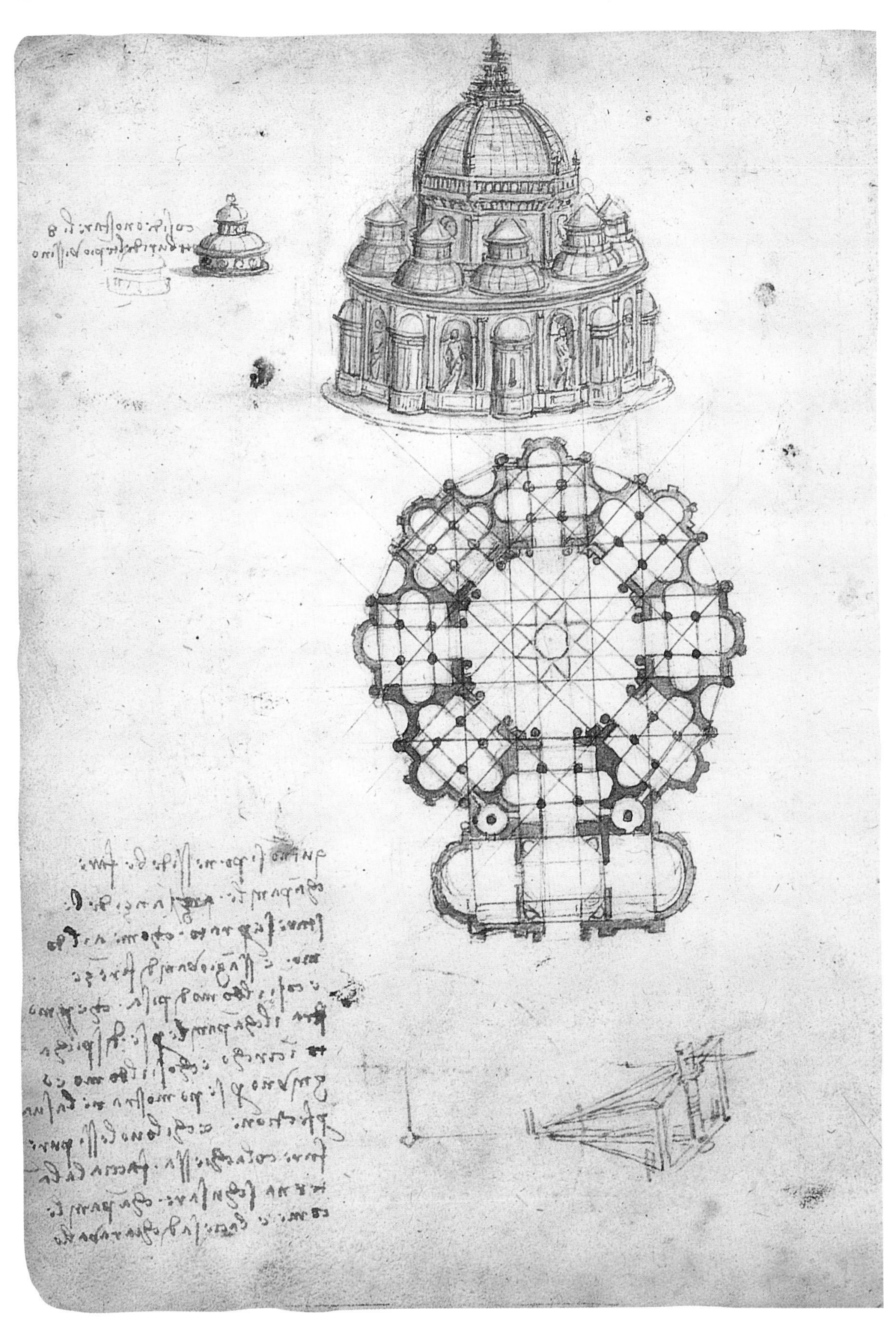

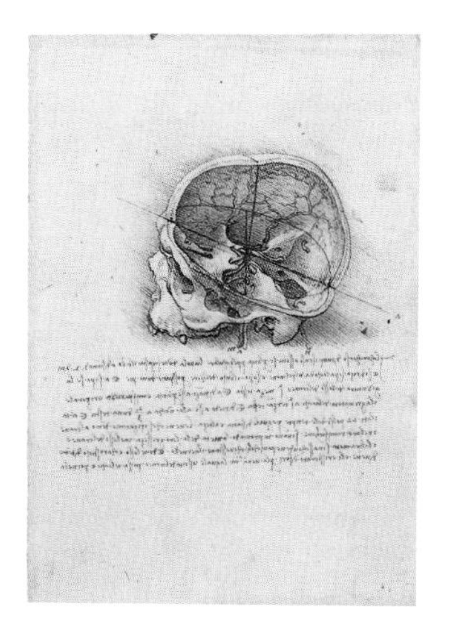

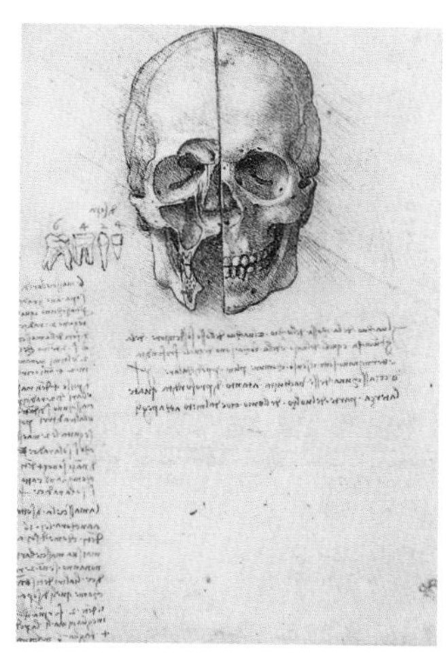

Qui sopra e a destra:
studi di cranio (1489), Windsor, Royal Library.
Qui sotto:
proporzioni geometriche applicate allo studio delle trazioni (1487-1490 circa), *Codice Atlantico* (f. 561r).

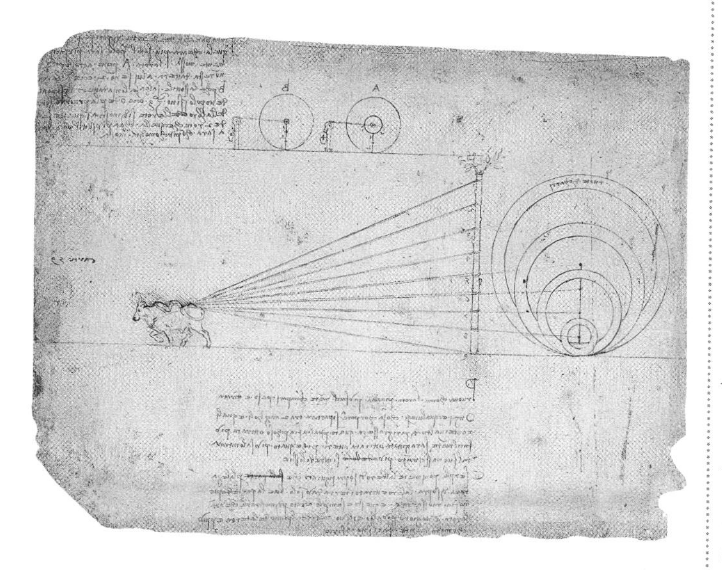

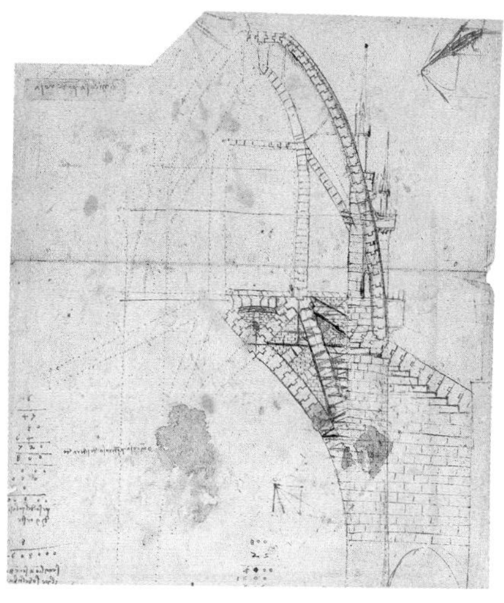

A sinistra:
studio sulla spinta degli archi per il tiburio del duomo di Milano (1487-1490 circa), *Codice Atlantico* (f. 850r).

Nella pagina a fianco:
studi di chiese a pianta centrale, di forni di riverbero e di uno «strumento da sfere» (1487-1489), *Manoscritto B* (f. 95r).

lanese. Per esempio l'ideazione di macchine militari o anche di uso industriale – soprattutto tessili, in accordo col tradizionale sviluppo dell'industria tessile in Lombardia –, un'attività progettuale che stimolerà i suoi studi di meccanica. Oppure la messa a punto di opere idrauliche, un campo inedito che Leonardo avvicina adesso inevitabilmente in una regione dove il problema dello sfruttamento delle risorse idriche e della loro irreggimentazione era da sempre in primo piano e dove già era presente una vasta rete di canalizzazione del territorio. Da qui l'interesse di Leonardo per le acque e i suoi studi di idraulica e di idrostatica.

A contatto con i vari problemi e le nuove sfide che le sue molteplici attività gli pongono, Leonardo sonda dunque, negli anni milanesi, i più diversi campi di ricerca, approfondendo anche interessi che in precedenza lo avevano solo sfiorato. Tra questi, per esempio, lo studio del latino, ripreso per affrontare, lui «omo sanza lettere», i grandi testi della tradizione scientifica classica e i trattati degli umanisti; oppure, dal 1496, quando il matematico Luca Pacioli entra lui pure al servizio del Moro, la geometria, che ritorna a studiare con l'aiuto del francescano, illustrandone poi il trattato *De divina proportione*. E ancora, attorno al 1489-1490, si dedica ai primi importanti studi di anatomia, a partire dai disegni di crani della raccolta di Windsor; o, infine, sviluppa l'interesse per il volo e per la costruzione di macchine volanti, che aveva fatto una prima timida apparizione già alla fine del periodo fiorentino, come testimoniano alcuni schizzi su un foglio agli Uffizi dove è pure uno studio per l'*Adorazione dei magi*.

Un'ultima osservazione: di pari passo col prepotente emergere di una mole di interessi così copiosi ed eterogenei si fa strada in Leonardo, proprio a partire da questi anni milanesi, l'esigenza di annotare in modo continuativo le proprie riflessioni, i progetti, gli studi. Ai fogli sparsi si affiancano perciò da questo momento dei quaderni di appunti di cui i più antichi tra quelli conosciuti sono il *Codice Trivulziano* e il *Manoscritto B* di Francia, entrambi redatti a Milano a partire dal 1487.

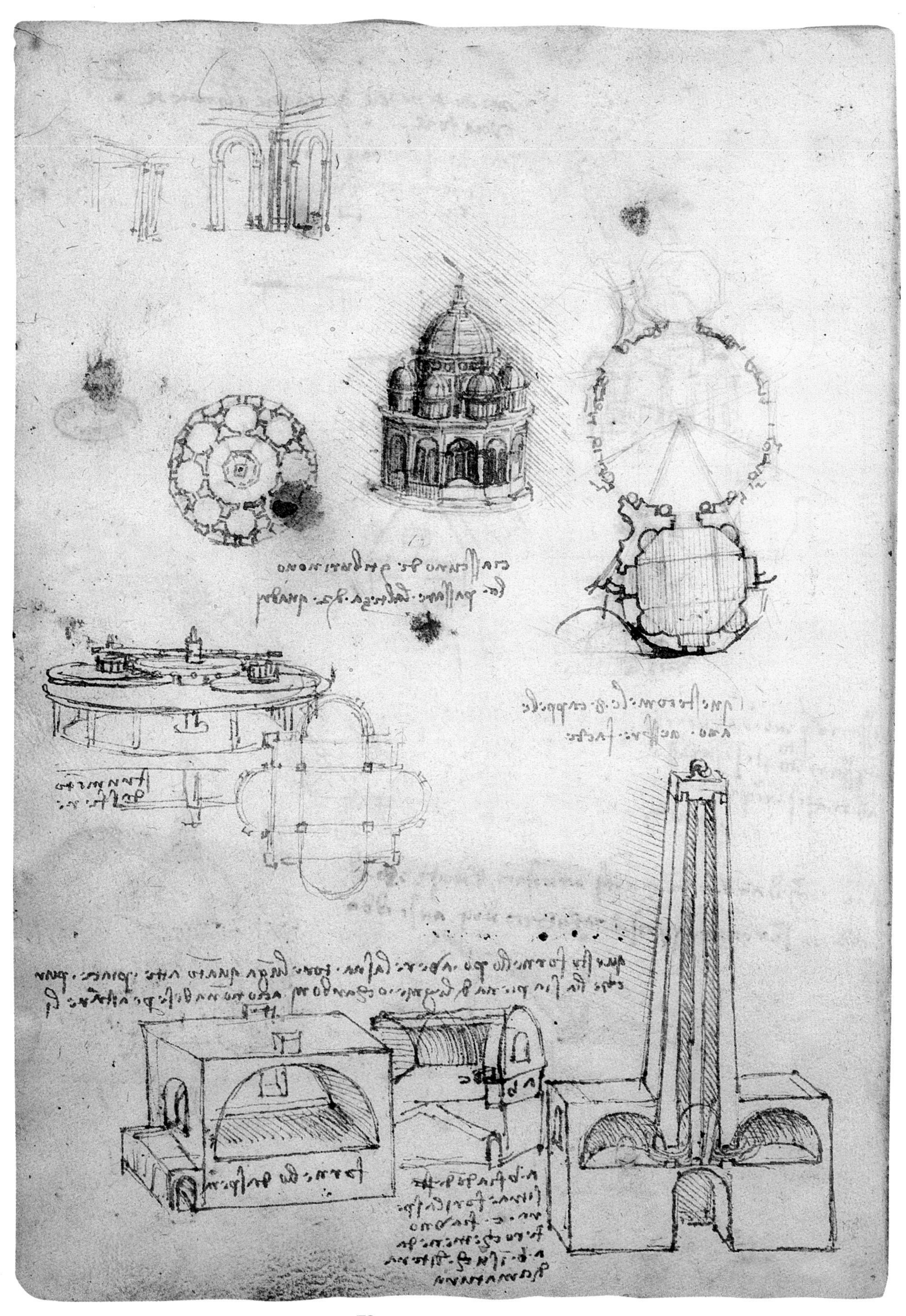

La scuola di Leonardo

A Milano, durante il suo primo soggiorno, Leonardo raccolse attorno a sé un certo numero di allievi, tra cui il famoso Salaì (o Salaino), ovvero il «piccolo demonio». Così era soprannominato, per il suo carattere irrequieto e i frequenti furtarelli, Giovanni Giacomo Caprotti che «venne a stare con meco il dì della Maddalena nel 1490, d'età d'anj 10», ricorda il maestro in una nota del 1491.
Oltre a Salaì e ad altri apprendisti, l'Accademia vinciana si caratterizzava per accogliere, a differenza delle tradizionali botteghe artistiche dell'epoca – e piuttosto sul modello dell'Accademia platonica fiorentina del Ficino – anche maestri variamente affermati. Tra i nomi illustri della scuola leonardiana, i fratelli Evangelista e Ambrogio de' Predis, Francesco Napolitano, Marco d'Oggiono, Andrea Solario e Giovan Antonio Boltraffio. Soprattutto questi ultimi seppero interpretare fedelmente gli insegnamenti di Leonardo, specie nei ritratti, il genere in cui l'accademia era soprattutto specializzata.
Emblema dell'Accademia vinciana, testimoniato anche da sei splendide stampe, sono i cosiddetti «nodi vinciani», complessi intrecci decorativi al cui schema forse si ispirano i grovigli a motivi vegetali della sala delle Asse nel Castello sforzesco di Milano.

Qui sopra:
Giovan Antonio Boltraffio, *Ritratto di Gerolamo Casio* (1500 circa), Milano, pinacoteca di Brera.
Qui sotto, da sinistra:
incisione dell'Accademia vinciana (i cosiddetti «nodi vinciani»; 1495 circa), Milano, Biblioteca ambrosiana;
Marco d'Oggiono, *I santi fanciulli* (1500 circa).

Qui sopra da sinistra:
Giovan Antonio Boltraffio, *Ritratto simbolico sul tema del san Sebastiano* (1500 circa), Mosca, Museo Puškin;
Giovan Antonio Boltraffio, *Ritratto femminile* (1500 circa), Milano, Biblioteca ambrosiana;
Giovan Antonio Boltraffio, *Ritratto simbolico* (1500 circa), Firenze, galleria degli Uffizi.

Qui a destra
Andrea Solario, *Madonna del cuscino verde* (1507 circa) Parigi, Louvre.

La maturità

1500
1519

Da signoria a repubblica

Nel 1494, la discesa in Italia del re francese Carlo VIII segnò l'inizio della futura dominazione straniera nella penisola. Ma anche le conseguenze immediate di questa impresa furono molto importanti. A Firenze, per esempio, la calata del re di Francia determinò la cacciata di Piero de' Medici, figlio e successore di Lorenzo il Magnifico, e la nascita della repubblica teocratica di Girolamo Savonarola. Per quattro anni fu il frate domenicano a orientare la politica cittadina con l'intransigente rigore dei suoi principi e le sue idee di riforma radicale della moralità pubblica e privata. Caduto però in disgrazia dopo la scomunica di papa Alessandro VI, nel 1498 Savonarola fu bruciato sul rogo come eretico. Ma la repubblica fiorentina non morì con lui, evolvendo tuttavia verso il governo di un gonfaloniere a vita nelle cui mani era concentrato il potere. Nel 1502 fu eletto a questa carica Pier Soderini col quale le iniziative culturali e le committenze artistiche, fortemente contrattesi in epoca savonaroliana, ripresero vigore. Fu appunto sotto il gonfalonierato del Soderini che a Leonardo e Michelangelo vennero commissionati i dipinti delle *Battaglie* non finite per Palazzo vecchio, e che Buonarroti scolpì il *David*, eletto a simbolo della giovane repubblica. Questa durò fino al 1512, quando le vicende connesse alla Lega santa contro i francesi indetta da papa Giulio II riportarono a Firenze i Medici.

Ritorno a Firenze

Nel 1499 Leonardo lascia il ducato di Milano, invaso dalle truppe francesi, e riprende la via di Firenze. Queste le scarne parole con cui, nel 1500, commenta la caduta di Ludovico il Moro, presso il quale è rimasto per un periodo che resterà il più lungo della sua carriera al servizio di questo o quel signore: «Il Duca perse lo stato e la roba e la libertà, e nessuna sua opera si finirà per lui».

Nel suo viaggio di ritorno verso la ex città dei Medici, dove dal 1494 è stata proclamata la repubblica, Leonardo fa una prima tappa a Mantova, presso Isabella d'Este. Moglie di Francesco II Gonzaga e sorella della duchessa di Milano, Beatrice, andata in sposa a Ludovico il Moro e morta di parto nel 1497, la marchesa di Mantova era l'animatrice di una delle più raffinate ed esclusive corti del Rinascimento italiano. Per lei Leonardo esegue un celebre ritratto a carboncino, promettendo di trasporlo al più presto in un dipinto su tavola poi mai realizzato.

Dopo Mantova, è la volta di Venezia dove, probabilmente grazie alla fama acquistata a Milano come ingegnere idraulico, Leonardo è incaricato dalla Serenissima di un piano per allagare una zona particolarmente esposta alle possibili scorrerie dei turchi, che la gloriosa repubblica temeva ogni giorno di più.

All'arrivo a Firenze, l'artista alloggia presso i padri serviti nel convento della Santissima Annunziata. Tempo dopo abiterà poi in casa del matematico Piero di Braccio Martelli, non distante dal Duomo e da palazzo Medici. Nel corso di questo nuovo soggiorno fiorentino, inizia per Leonardo un'esistenza movimentata dai consueti molteplici interessi già emersi a Milano. Ma adesso la ricerca in campo tecnico-scientifico prevale nettamente su quella artistica. È quanto per esempio rileva, nel 1501, l'inviato di Isabella d'Este a Firenze, Pietro da Novellara, che in alcune sue lettere alla marchesa parla di una vera e propria insofferenza di Leonardo per il pennello e di un suo totale assorbimento negli studi matematici: «[Leonardo] dà opra forte alla geometria [...] è impacientis-

Nella pagina a fianco:
Michelangelo, *David* (1501-1504), Firenze, galleria dell'Accademia.

Nelle pagine 76-77:
La Gioconda (1513-1517 circa), particolare, Parigi, Louvre.

Qui sopra:
cartone per un ritratto di Isabella d'Este (1499-1500), Parigi, Louvre.

Dall'alto:
studio di cartone per *Sant'Anna* (1501 circa), Venezia, Gallerie dell'Accademia; studio per una *Leda* inginocchiata (1503-1504).

simo al pennello»; e ancora: «Li suoi experimenti mathematici l'anno distracto tanto dal dipingere, che non può patire el pennello». Poche, in effetti, le opere del rientro fiorentino. E tuttavia importanti.

Per cominciare il primo cartone, perduto, della *Sant'Anna* eseguito nel 1501. Questo – è sempre il Novellara a darne notizia – presentava alcune importanti varianti rispetto al cartone del 1508 oggi a Londra. Diversa era infatti l'impostazione delle figure e la presenza dell'agnello quale esplicito simbolo della Passione, che nel disegno londinese viene sostituito dalla figura meno palesemente allusiva del san Giovannino e che invece ritorna nel dipinto incompiuto del Louvre iniziato attorno al 1510.

Poi la *Madonna dei fusi*, di cui restano due versioni attribuite ad allievi di Leonardo, con l'aiuto del maestro. Il dipinto era destinato al segretario di Stato di Luigi XII, Florimond Robertet, come informa il solito Novellara.

Della *Leda*, simbolo della Natura generatrice, compare adesso una prima elaborazione in disegni e studi eseguiti attorno al 1504 che ritraggono una figura inginocchiata. In seguito – a Milano – si arriverà alla versione in piedi testimoniataci dalle superstiti opere di scuola leonardesca che ne riprendono il soggetto.

Infine l'opera più prestigiosa, la grandiosa *Battaglia d'Anghiari* – tre volte il *Cenacolo* – commissionata a Leonardo nel 1503 dal governo fiorentino per ricordare un glorioso episodio della storia della repubblica, la vittoria sui milanesi nel 1440. Un lavoro così importante dovette certo rappresentare per il maestro l'ambìto riconoscimento di una fama ormai consolidata, ma costituì anche una sfida aperta con l'altro massimo artista di quegli anni, Michelangelo. Infatti, la *Battaglia d'Anghiari* avrebbe dovuto trovare posto nella sala del Gran consiglio (poi salone dei Cinquecento) di Palazzo vecchio dove, sulla parete opposta a quella di Leonardo, anche Buonarroti era stato contemporaneamente invitato a dipingere la *Battaglia di Cascina*. Purtroppo, il risultato fu che nessuna delle due opere fu portata a termine. Michelangelo finì col preparare solo il

Qui sopra:
Leonardo e aiuti,
Madonna dei fusi (1508).

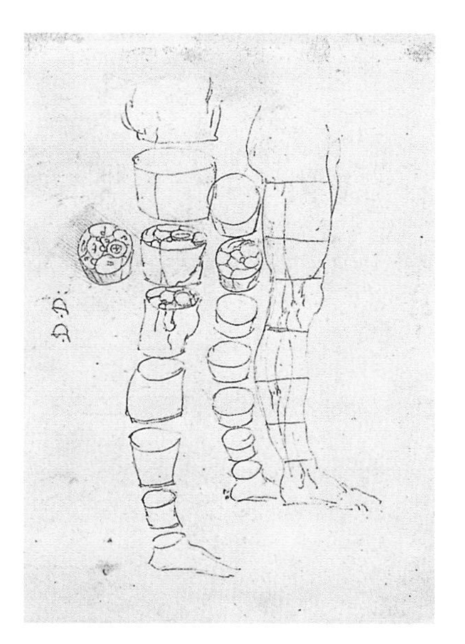

A sinistra:
sezione trasversale di una gamba (1510 circa), Windsor, Royal Library 12627r, K/P 4v.

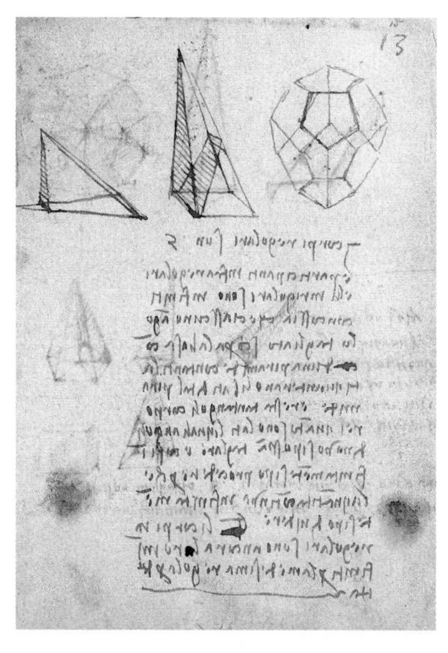

A sinistra:
studi di geometria solida e poliedri (1505), *Codice Forster I* (f. 13r).

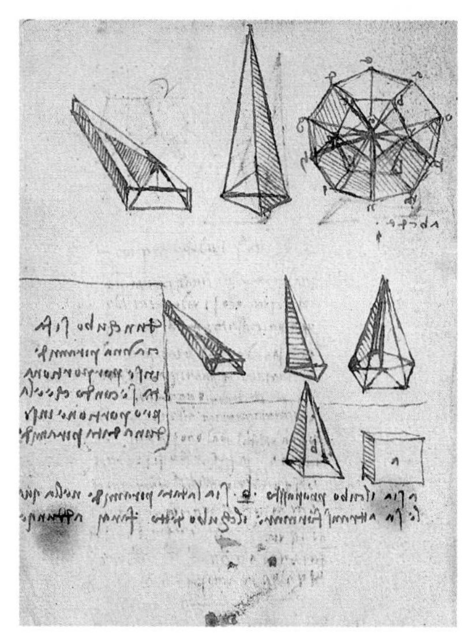

A sinistra:
studi di geometria solida e poliedri (1505), *Codice Forster I* (f. 13v).

cartone, andato perduto, e nel 1506 partì per Roma dove rimase al servizio del papa. Leonardo riuscì invece a trasporre su parete la parte centrale del proprio cartone, anche questo perduto. Tuttavia l'esito fu più disastroso ancora che per il *Cenacolo*. E questo sempre a causa della tecnica usata, ovvero un'esecuzione non "a fresco" – scartata forse perché per dipingere sulla parete ancora umida bisognava essere molto veloci e ciò era evidentemente incompatibile con i ritmi lenti di Leonardo – e che perdipiù prevedeva anche l'impiego di colori a olio. La pittura, non riuscendo ad asciugarsi abbastanza in fretta, cominciò così a corrompersi colando rovinosamente. Nel 1506 Leonardo sta ancora lavorando alla *Battaglia* quando deve abbandonare il dipinto, chiamato a Milano da Charles d'Amboise. Nello stesso anno in cui Michelangelo lascia Firenze, anche Leonardo lascia il capoluogo toscano. Poiché il cartone della *Battaglia d'Anghiari* è andato perduto e quanto Leonardo aveva dipinto sulla parete del salone è scomparso nel 1563 sotto i dipinti di Vasari, il ricordo di quell'opera è oggi trasmesso solo da copie, la più celebre delle quali è la cosiddetta *Tavola Doria*.

Tornando a quanto si è detto all'inizio, bisogna però ricordare che nel secondo periodo fiorentino, più che la pittura sono soprattutto gli studi scientifici, la passione per la geometria e per l'anatomia, lo studio del volo e delle acque a tenere occupato Leonardo. Al suo fianco è ancora una volta Luca Pacioli, giunto con lui a Firenze da Milano, che tra l'altro ha in preparazione proprio una nuova edizione degli scritti di Euclide, pubblicata poi nel 1509 a Venezia.

Quanto agli studi anatomici, è all'inverno 1507-1508 che risale la prima dissezione documentata di Leonardo su un cadavere. Della sua fondamentale esperienza sul corpo di un vecchio morto a Firenze, in ospedale, è lui stesso a parlare nei suoi scritti, dove annota: «Questo vecchio, poche ore prima della sua morte, mi disse di passare i cento anni, e che non si sentiva alcun mancamento nella persona altro che la debolezza e così standosi a sedere su un letto nell'Ospedale di Santa Maria Nova di Firenze

Qui sopra: anonimo, *Tavola Doria* (1503-1504), copia della parte centrale del cartone leonardesco della *Battaglia di Anghiari*, la sola riportata su parete e poi scomparsa.

Qui sotto:
uccelli che sfruttano le correnti aeree nelle loro evoluzioni (1505 circa), *Codice sul volo degli uccelli* (f. 8r), Torino, Biblioteca reale;
Aristotele da Sangallo (attr.), copia del cartone di Michelangelo con la *Battaglia di Cascina* (1542 circa), Norfolk, Holkam Hall.

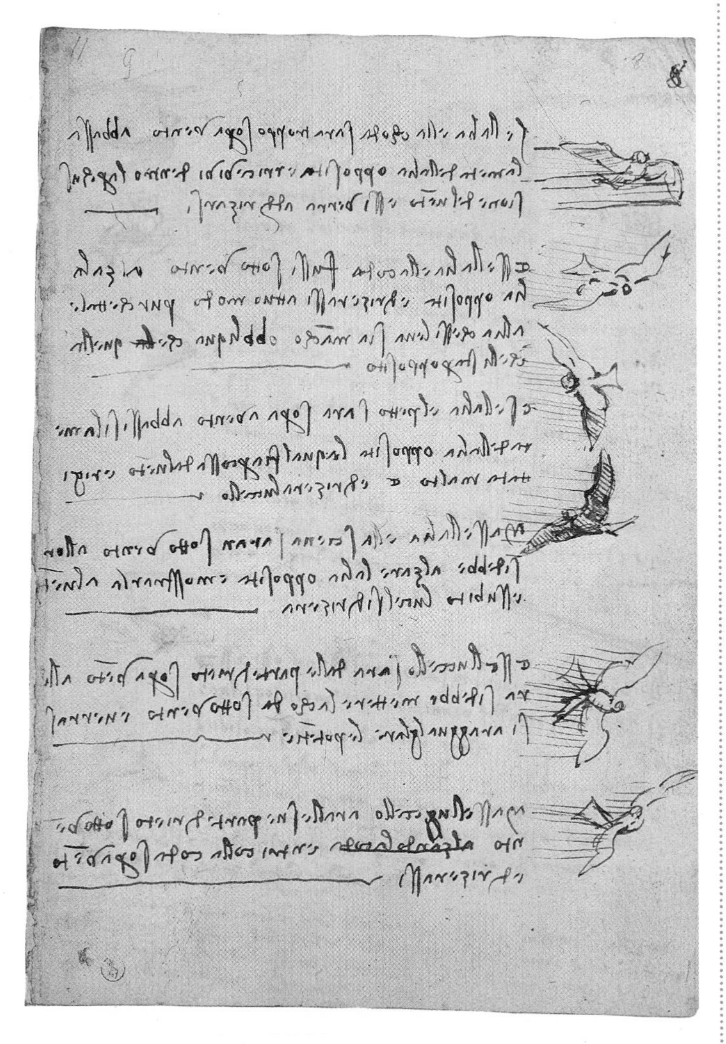

senz'altro movimento o segno d'alcuno accidente passò di questa vita; ed io ne fece l'anatomia per vedere la causa di sì dolce morte [...] la quale anatomia descrissi assai diligentemente e con gran facilità per essere il vecchio privo di grasso e di umore, il che assai impedisce la cognizione delle parti». Ovviamente, la diversità dell'approccio allo studio del corpo umano e la diffusione della pratica della dissezione, sempre più praticata proprio a partire da questi anni, segnarono un balzo in avanti anche per l'arte di Leonardo e per quella del Rinascimento in generale, influenzandone i maggiori esponenti, primo fra tutti Michelangelo.

Anche gli studi sul volo sono caratterizzati in questi anni fiorentini da molti progressi. Con tenacia Leonardo osserva il comportamento degli uccelli rispetto al vento e ne scrive attorno al 1505 in un codicetto oggi alla Biblioteca reale di Torino. Attorno alla stessa data concepisce l'idea di una macchina volante, una sorta di moderno deltaplano con cui spiccare il volo dalla cima del monte Ceceri a Fiesole, nei dintorni di Firenze. Agli studi sul volo è anche legata la fondamentale scoperta del moto a spirale, riconosciuto da Leonardo come una delle forze vitali della natura e subito riscontrato in altri fenomeni naturali, per esempio nei vortici dell'acqua, nel moto del sangue e perfino dei capelli, con un procedimento comparativo più volte da lui adottato. È quello stesso moto a spirale che entra a far parte anche del linguaggio artistico leonardiano, suggerendo probabilmente la torsione della *Leda col cigno* o gli impetuosi grovigli della *Battaglia d'Anghiari*. Un andamento avvitante che farà di Leonardo, insieme a Michelangelo e alle sue figure serpentinate, uno dei modelli dell'arte manierista.

Sempre al secondo soggiorno fiorentino, infine, risale un ardito progetto mai realizzato: la deviazione del corso dell'Arno. Il tracciato del canale immaginato da Leonardo sarebbe dovuto passare da Prato e Pistoia, seguendo all'incirca il percorso dell'attuale autostrada Firenze-mare, per ricongiungersi al fiume a breve distanza da Pisa. Il progetto aveva il duplice vantaggio di rendere navigabile l'Arno da Firenze

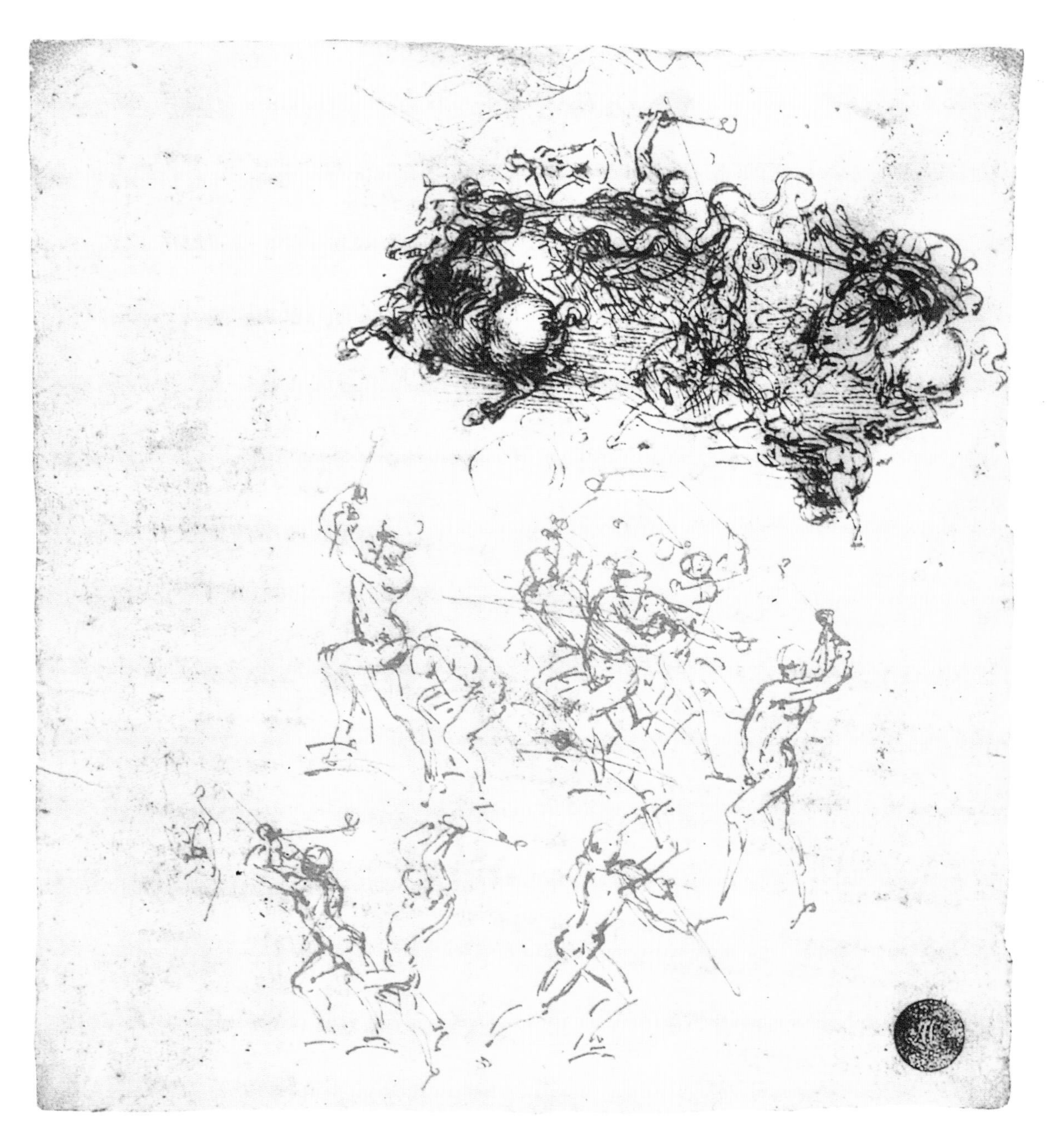

Qui sopra e a fianco:
primi studi per la *Battaglia di Anghiari* (1503-1504 circa), Venezia, Gallerie dell'Accademia.

A destra:
veduta a volo d'uccello di fortezza (1504 circa) *Codice di Madrid II*, 8936 (f. 79r), Madrid, Biblioteca Nacional.

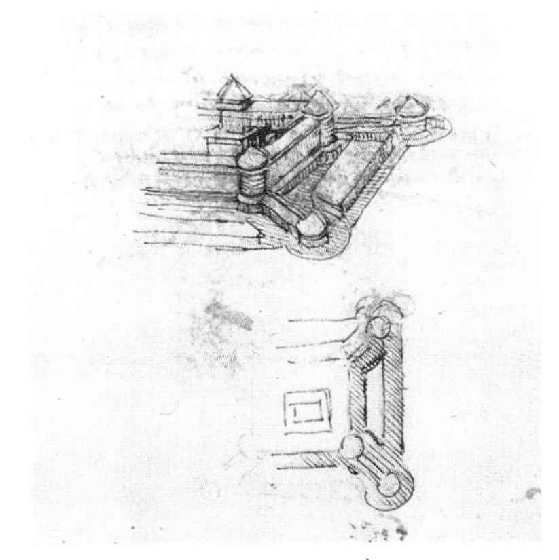

Leonardo e Michelangelo

La nota rivalità tra Leonardo e Michelangelo era dovuta sia al conflitto tra generazioni diverse (Leonardo aveva ventitre anni più di Michelangelo) sia a un diverso atteggiamento mentale e a concezioni artistiche inconciliabili: da un lato la razionalità, l'abito rigorosamente scientifico di Leonardo e il primato da lui accordato alla pittura, dall'altro la profonda spiritualità di Michelangelo e la sua ferma convinzione della superiorità della scultura. Un manoscritto redatto alla metà del Cinquecento, l'*Anonimo magliabechiano*, contiene il gustoso episodio di uno scontro che i due massimi artisti italiani del XVI secolo avrebbero avuto nella pubblica via al tempo in cui entrambi si trovavano a Firenze per i dipinti di Palazzo vecchio. Così narra il codice magliabechiano: «Passando ditto Leonardo, insieme con Giovanni da Gavine, da Santa Trinita [...] dove era una ragunata di uomini da bene e dove si disputava un passo di Dante, chiamaro detto Lionardo dicendogli che dichiarasse loro quel passo [...]. E a caso appunto passò di qui Michele Agnolo, e chiamato da uno di loro, rispose Leonardo: "Michele Agnolo ve lo dichiarrerà egli". Di che parendo a Michelagnolo l'avesse detto per sbeffarlo, con ira gli rispose: "Dichiarolo pur tu, che facesti un disegno di un cavallo per gittarlo di bronzo [la statua equestre non realizzata di Francesco Sforza] e non lo potesti gittare e per vergogna lo lasciasti stare". E detto questo voltò loro le rene e andò via, dove rimase Lionardo che per le dette parole diventò rosso».

Qui sopra:
Michelangelo, *Madonna col Bambino e sant'Anna*, copia da Leonardo (1501-1502 circa), Oxford, Ashmolean Museum.

fino al mare, e di far raggiungere al fiume importanti zone del territorio di influenza fiorentina. Curiosamente, va notato che, mentre resta chiara traccia di questa proposta di Leonardo a fini "pacifici", si possono invece fare solo congetture circa la sua conoscenza e la sua partecipazione all'analogo piano "di guerra" (caldeggiato da Niccolò Machiavelli) che in quello stesso periodo la repubblica fiorentina intendeva mettere in atto (ma poi non lo fece) per riassoggettare la ribelle Pisa. Si trattava anche in questo caso della deviazione del corso dell'Arno, studiata però in modo da togliere alla città assediata lo sbocco al mare.

Negli anni in cui torna a vivere a Firenze, Leonardo non resta stabilmente in città. Il biennio 1500-1502 è quello in cui vi risiede in modo più continuativo, fatta eccezione per brevi assenze, come in occasione di un suo viaggio a Roma. Nell'estate del 1502 prende una decisione importante, allontanandosi dal capoluogo toscano per entrare al servizio di Cesare Borgia, detto il Valentino, figlio naturale di papa Alessandro VI. La nomina di Leonardo a «Prestantissimo e Dilettissimo Familiare Architetto e Ingegnere Generale» del Valentino è un'investitura in piena regola, con tanto di patente scritta. Forse i due si erano conosciuti a Milano, dove il Borgia era entrato in trionfo insieme a Luigi XII di Francia. Per conto del Valentino, Leonardo parte in ricognizione nei territori di cui il "duca di Romagna" si era impadronito in Italia centrale e lo segue, nel corso delle sue campagne militari, attraverso Emilia Romagna, Marche, Umbria e Toscana. Dalle ispezioni di città, fortezze e contrade derivano alcune importanti carte geografiche tra cui gli stupendi fogli a colori con la *Mappa di Imola* e la *Carta idrografica della Toscana e dintorni.* Nella primavera del 1503, ancor prima che l'avventura del Valentino finisca col dissolversi dei suoi sogni e dei suoi domini, Leonardo è già tornato a Firenze. Qui, la repubblica gli commissiona, come si è visto, il dipinto con la *Battaglia di Anghiari*. Poi, nel 1506, la partenza per Milano, per un nuovo lungo soggiorno interrotto da temporanei rientri nel capoluogo toscano fino al 1508.

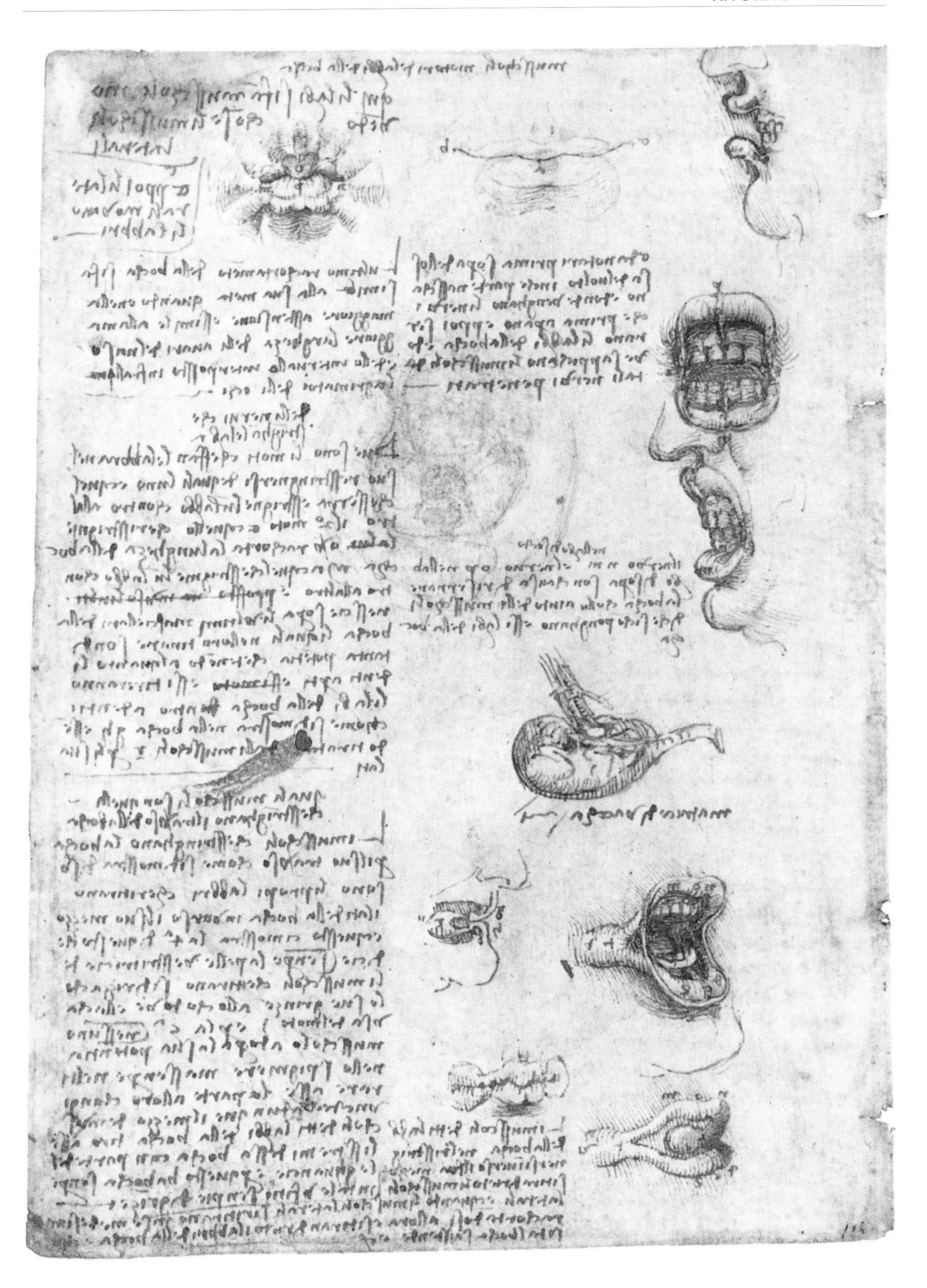

Qui sopra:
studi sui muscoli della bocca (1508 circa), Windsor, Royal Library 19055v.

Qui sopra:
cartone della *Vergine con sant'Anna e il Bambino* (1508), Londra, National Gallery.

A sinistra:
copia da Leonardo, *Leda e il cigno* ("*Leda di Vinci*") (1506-1508), Vinci (Firenze), Museo leonardiano.

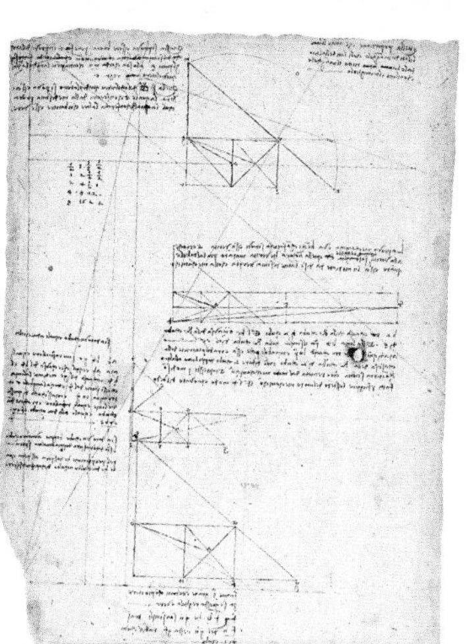

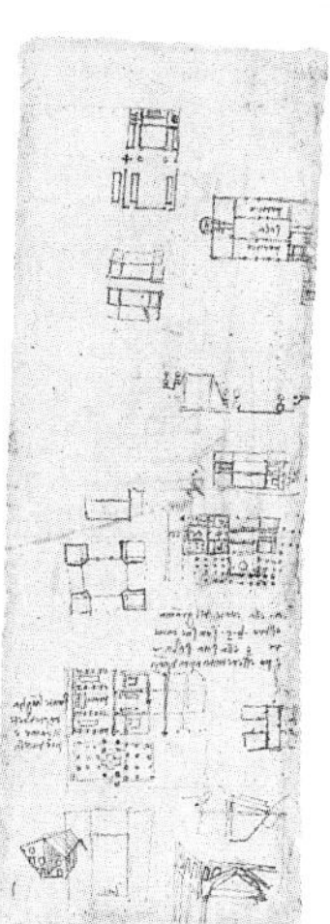

Qui sotto:
studi per la villa di Carlo d'Amboise (1506-1508), *Codice Atlantico* (f. 231r-b), Milano, Biblioteca ambrosiana.
Nella pagina a fianco:
La Vergine, sant'Anna e il Bambino con l'agnello (1510), Parigi, Louvre.

Il secondo soggiorno milanese

Leonardo si reca a Milano nel 1506 dietro le pressanti richieste del governatore francese Charles d'Amboise. Poiché l'artista è ancora, all'epoca, al servizio del governo di Firenze, ne nasce un diverbio con la Signoria fiorentina che alla fine, dopo l'intervento diretto del re di Francia, si dispone a sciogliere l'artista dai suoi impegni e gli consente di stabilirsi definitivamente a Milano nel 1508.

Qui Leonardo rimane fino al 1513, praticamente stipendiato da re Luigi XII che gli restituisce anche la vigna di San Vittore, confiscata al tempo della conquista francese del ducato. È probabilmente in quello stesso 1499 che l'artista entra in contatto col sovrano. A ogni modo, nel 1501 è certo che Leonardo già lavora per i francesi, come si è visto dall'accenno del corrispondente di Isabella d'Este a Firenze alla *Madonna dei fusi*.

Una volta tornato in pianta stabile a Milano, Leonardo sviluppa alcune idee degli anni fiorentini, come nei dipinti già ricordati della *Leda* e della *Sant'Anna*. L'artista continua probabilmente a lavorarci anche durante il soggiorno francese, ipotesi che per la seconda delle due opere viene confermata da alcuni studi di panneggi relativi alla figura della Vergine. Nel 1509, un anno prima di iniziare la tavola con *Sant'Anna*, Leonardo dipinge invece un'altra opera anche questa al Louvre, il *San Giovanni Battista*. Si tratta di una figura dall'aspetto e dallo sguardo inquietanti, che sorride in modo ambiguo offrendosi come un misto di sacro e profano per la spiritualità della dolce luce che riveste morbidamente il giovane corpo e, di contro, per la sensualità dei tratti, che sono quelli floridi e carnali di un Bacco, anche se non apertamente equivoco come quello in seguito dipinto da Caravaggio. A ben considerare l'immagine, si ha la sensazione che in definitiva quella del *San Giovanni* sia un'ambiguità di natura sessuale. Si ha l'impressione di trovarsi di fronte a un ermafrodito a cui Leonardo sembra alludere in modo

Gli studi anatomici

Nel campo del disegno anatomico Leonardo consegue i risultati più alti mai raggiunti fino a quel momento. I suoi sono disegni chiari, precisi e belli. Una tale maestria è dovuta anche alla pratica della dissezione di cui Leonardo è tra i primi a fare un uso sistematico, sebbene in precedenza anche altri artisti del Quattrocento fiorentino, come per esempio il suo maestro Andrea del Verrocchio e Antonio del Pollaiolo, avessero quasi certamente avuto esperienza di dissezioni. Ma i disegni anatomici di Leonardo non sono solo mirabili, sono soprattutto utili perché spiegano visivamente cose anche molto complesse da rendere verbalmente. E l'artista ne è consapevole quando scrive: «O scrittore, con quali lettere scriverai tu con tal perfezione l'intera figurazione qual fa qui il disegno?» L'uso dell'illustrazione e la sua qualità sono in effetti il contributo più valido di Leonardo alla trattatistica scientifica del Cinquecento, mentre i suoi studi non sono invece così rilevanti per il progresso della scienza medica. Vale cioè per i risultati da lui ottenuti in campo anatomico ciò che si verifica anche negli altri settori della sua ricerca, ovvero che il suo lavoro costituisce il punto culminante di un processo già iniziato, piuttosto che una novità assoluta. Risulta perciò ridimensionata la tradizionale immagine di Leonardo visto come genio isolato e pioniere libero da debiti col passato. Prova ne sia che lo stesso interesse per l'anatomia trovava le ragioni del suo sviluppo proprio nella rivoluzione che nel XV secolo aveva investito la rappresentazione dello spazio pittorico con l'invenzione della prospettiva. Infatti anche la resa prospettica del corpo, la sua tridimensionalità era diventata importante ed era quindi aumentato il desiderio di conoscerne a fondo la struttura e il funzionamento di ogni sua parte. In tal modo, la conoscenza anatomica risultava funzionale alla rappresentazione artistica e l'artista finiva col diventare l'indispensabile illustratore dei progressi compiuti dall'anatomia. Era questo, tra l'altro, uno degli aspetti di quella sintesi di scienza e arte che appare la cifra della nuova stagione artistica rinascimentale, un'integrazione che Leonardo seppe interpretare al meglio nell'arco della sua carriera.

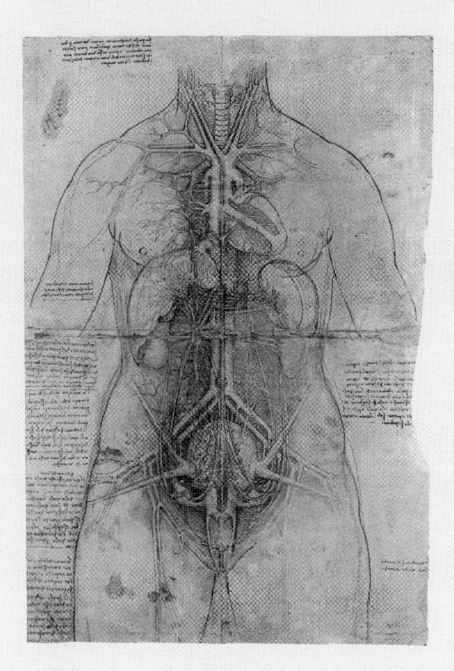

A sinistra: la posizione dei visceri nella donna (1508-1509), Windsor, Royal Library, 12289r.

consapevole e compiaciuto, esibendo la fusione dei sessi in un unico corpo. Tale fusione aveva già un precedente significativo nella figura androgina di un perduto *Angelo dell'Annunciazione* di cui restano repliche di scuola, la migliore delle quali è a Basilea, nonché l'abbozzo tracciato dalla mano di un allievo e ritoccato da Leonardo in un foglio del 1504 circa. Esempio ancora più forte di ambiguità esibita è la figura erotico-demoniaca, anche questa a metà tra Bacco e angelo, di un giovane dal membro eretto, disegnato dall'artista su un foglio recentemente ritrovato in Germania.

Al secondo soggiorno milanese appartiene anche una nuova versione della *Vergine delle rocce* (oggi a Londra; v. p. 58), una redazione dagli effetti scultoreo-architettonici più decisi, che per motivi ancora non chiariti venne preferita dai committenti al dipinto del Louvre.

Infine, c'è il progetto per un nuovo monumento equestre, stavolta destinato al maresciallo di Francia Gian Giacomo Trivulzio che intende collocarlo all'interno della propria cappella funebre da costruirsi nella chiesa di San Nazaro. La commissione è probabilmente successiva al 1508, quando disegni e studi relativi alla scultura cominciano a susseguirsi sconfinando forse negli anni in cui l'artista vive ormai in Francia. Per Trivulzio Leonardo recupera la primitiva idea del monumento Sforza di un cavallo impennato che travolge un nemico caduto. Infatti, date le dimensioni del nuovo monumento, decisamente ridotte rispetto a quelle previste per il gruppo sforzesco, la sua esecuzione appare in questo caso realizzabile. A ogni modo, neppure questo progetto va in porto. Una serie di circostanze concomitanti, i lavori della cappella iniziati da Bramantino solo dopo il 1512, la morte del Trivulzio nel 1518 e quindi quella di Leonardo l'anno successivo pongono fine anche a questa avventura.

Se nel corso del suo secondo soggiorno milanese è indubbio l'impegno del maestro in campo artistico, va però detto una volta di più che anche in questo periodo Leonardo lavora soprattutto a progetti di architettura e a opere di canalizzazione. In quest'ultimo campo nasco-

A destra:
studio per il monumento equestre di Gian Giacomo Trivulzio (1508-1512), Windsor, Royal Library.

Qui sotto:
genitali femminili e feto nell'utero (1510-1512), Windsor, Royal Library, 19101r; K/P 197v.

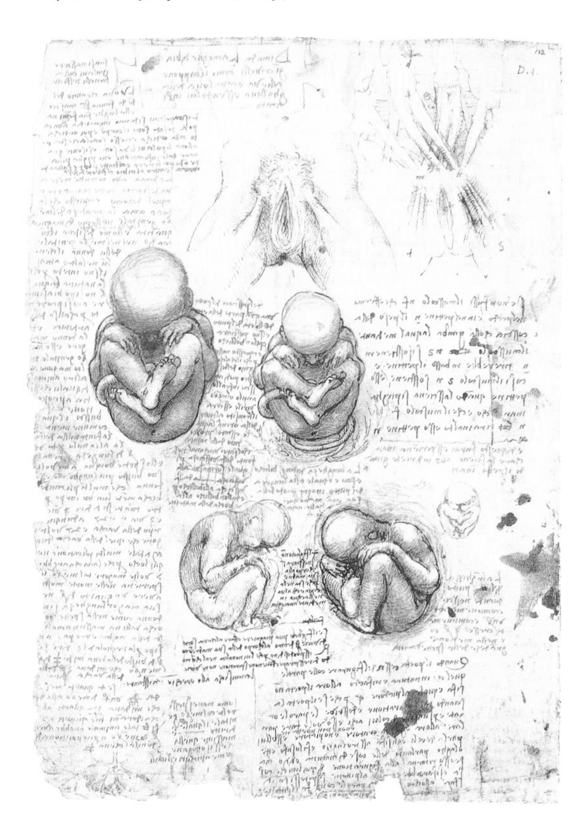

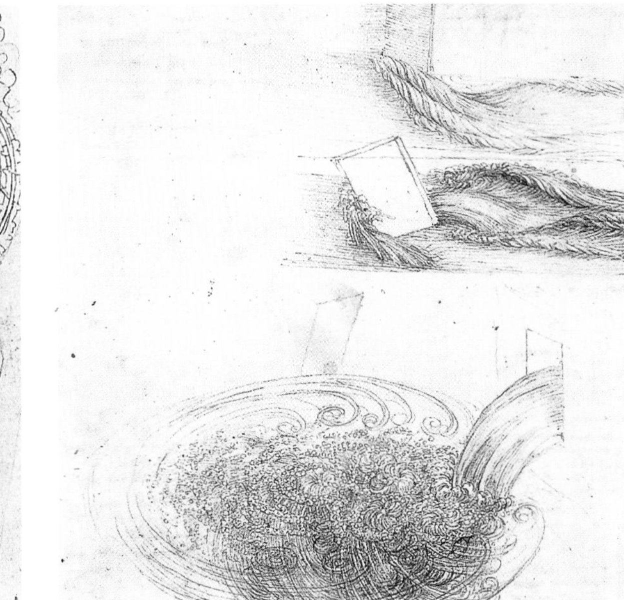

Da destra:
studi sulla copulazione (1493 circa), Windsor, Royal Library, 19097v; K/P 35r;
studio di gorghi d'acqua (1508-1513), Windsor, Royal Library, 12669v.

La pittura, arte prediletta

Per Leonardo la pittura, il disegno, la musica non sono in contrasto con la progettazione di macchine o di opere di ingegneria, poiché per il maestro toscano arte e scienza fanno parte di un'unica ricerca sull'intrinseca natura delle cose.
Sulla pittura, Leonardo tornò varie volte nei suoi manoscritti con trattazioni, osservazioni e note in vista di un trattato che l'artista non portò mai a termine. Fu poi Francesco Melzi, l'allievo prediletto, che in seguito riunì, trascrisse e dette ordine al materiale sparso nei codici ereditati alla morte del maestro, nel 1519. Ne venne fuori quel *Libro di pittura* manoscritto, poi pubblicato a stampa solo nel 1651 come *Trattato della pittura*.
Nei suoi dipinti Leonardo fu tra i primi a usare la pittura a olio di derivazione fiamminga, sostituendola alla tempera. Forse anche perché i colori a olio, che seccavano meno rapidamente dando la possibilità di fare ritocchi anche a distanza di giorni, erano più adatti al procedere lento e metodico del suo lavoro.
Elementi caratterizzanti dello stile leonardiano sono lo sfumato e la prospettiva aerea. Leonardo introduce quest'ultima accanto alla prospettiva lineare – all'epoca conquista recente e imprescindibile della pittura di ambito fiorentino – creando un nuovo modo di rendere la percezione di oggetti distanti. Non più solo attraverso soluzioni geometriche, per cui la distanza era indicata dal rimpicciolimento progressivo; ma con un accorto dosaggio di chiaro e scuro, di luce e ombra che traduce la modifica del colore e dei contorni di oggetti lontani causata dall'interporsi di effetti atmosferici. Risultato tra l'altro esaltato dall'ambientazione delle figure nel paesaggio – come per esempio nella *Vergine delle rocce* –, preferita da Leonardo alle scene in interno che facilitavano invece l'applicazione della prospettiva lineare. Analogamente, lo sfumato – con un effetto simile a quello impiegato in ambito fotografico per le immagini cosiddette "flou" – delinea i volumi delle figure, anziché con contorni netti e zone di colore decise, con passaggi morbidi e gradazioni cromatiche che sembrano accarezzare e velare le forme.

A sinistra: *Angelo dell'Annunciazione*, copia da Leonardo, Basilea, Kunstmuseum.

no nuove proposte, come per esempio quella della canalizzazione dell'Adda da Lecco a Milano, o piani per il miglioramento della rete di canali già esistente. Molto importanti sono poi i rilievi idrografici sul territorio lombardo, dal lago d'Iseo al fiume Oglio, all'Adda ai Tre Corni, a Trezzo e a Vaprio. In quest'ultima località possiede una villa la famiglia di Francesco Melzi, allievo e amico dell'artista, che alla morte del maestro ne erediterà i codici. Qui Leonardo passa lunghi periodi di soggiorno e di studio.

Al già ricordato Charles d'Amboise sono invece legati alcuni studi architettonici dell'eclettico toscano. Il governatore del ducato milanese, infatti, chiede a Leonardo di progettare per lui una villa con giardino da costruirsi nei pressi della chiesa di San Babila, il quartiere dove tra l'altro l'artista si è stabilito, fuori Porta Orientale. Del progetto, abbozzato tra il 1506 e il 1508, restano alcuni schizzi e appunti sommari, o brevi descrizioni come quelle relative alla sala delle feste o al raffinatissimo giardino. Per quest'ultimo vengono studiati innumerevoli giochi d'acqua, fontane e automi, come per esempio quello destinato a battere le ore di un gigantesco orologio idraulico.

Infine, un altro notevole risultato è ottenuto in questi anni da Leonardo nel campo degli studi anatomici. La sua grande attenzione per i misteri del corpo umano si rafforza ulteriormente in lui in questi anni sia grazie alla pratica della dissezione dei cadaveri, di cui il maestro dà una prima testimonianza nel 1507-1508, come si è già visto, sia per la vicinanza stimolante di Marcantonio della Torre, medico-anatomista allo Studio di Pavia, con l'aiuto del quale compie i suoi studi. La possibilità di un'osservazione diretta, tra l'altro, rivoluziona l'illustrazione anatomica, fino a quel momento rozza e approssimativa, dando modo a Leonardo di realizzare tavole anatomiche accurate e di grande impatto visivo. Tra i disegni più famosi, gli studi di organi genitali e quelli con le immagini di un feto nell'utero materno, ricavate anche queste, sembra, dall'esame di un vero feto umano di sette mesi che Leonardo era riuscito a ottenere per la dissezione.

Qui sopra: *San Giovanni Battista* (1509), Parigi, Louvre.

Dall'alto:
studio di diluvio (1515 circa) Windsor, Royal Library;
Raffaello, *Ritratto di Leone X tra i cardinali Giulio de' Medici e Luigi de' Rossi* (1518-1519), Firenze, galleria degli Uffizi.

Nella pagina a fianco:
Bacco (1513-1515), Parigi, Louvre.

Gli anni romani

Il 1511 è l'anno della Lega santa, indetta da papa Giulio II contro i francesi. Suoi alleati sono Venezia e la Spagna. Tra gli esiti vittoriosi della Lega ci sono, nel 1512, la restaurazione degli Sforza a Milano e il ritorno dei Medici a Firenze, prima con Giuliano, uno dei figli del Magnifico, poi con Lorenzo, suo nipote. Non solo: i Medici riescono a insediarsi sul soglio pontificio con l'elezione del cardinale Giovanni, altro figlio del Magnifico, papa nel 1513 col nome di Leone X.

A Milano, la posizione di Leonardo, legato ai francesi, si fa delicata. Nel 1513 l'artista decide di trasferirsi a Roma dove può contare sull'appoggio di Giuliano de' Medici, fratello del papa. Alloggia in Vaticano e ha uno studio al Belvedere. Ma Roma non gli offre sufficienti gratifiche. Infatti nella città papale, che con Giulio II ha rinverdito i suoi fasti, c'è fin troppa concorrenza. Basti pensare che Leonardo arriva quando Michelangelo ha appena ultimato la volta della Cappella sistina e Raffaello i più famosi affreschi delle Stanze vaticane. A Roma, dunque, il maestro vive appartato, dedicandosi ai suoi vari interessi, dalla geometria agli studi sulle acque – che trovano applicazione in un progetto di bonifica delle paludi pontine e ispirano attorno al 1515 gli incredibili disegni dei *Diluvi*, portati avanti negli anni francesi –, all'indagine anatomica, condotta nell'ospedale di Santo Spirito tra il 1514 e il 1515, che gli varrà l'accusa di negromanzia in seguito a una denuncia, perdipiù sporta da un suo assistente.

Ma non è tutto. Per questi anni si affaccia prepotente un'ipotesi importantissima, e cioè che Leonardo abbia iniziato proprio in questo periodo l'opera sua più prestigiosa, la *Gioconda*, probabilmente terminata in Francia, come vedremo. Al 1513-1515 può inoltre risalire il *Bacco* del Louvre. Immagine simile a quelle già viste del *San Giovanni Battista* e dell'*Angelo dell'Annunciazione*, l'iconografia potrebbe aver subìto, grazie all'ambiguità riscontrata anche nelle precedenti figure, una trasformazione passando dalla figura sacra alla figura profana.

Qui sopra:
Ritratto di fanciulla (*La Scàpiliata*)
(1508 circa),
Parma, Galleria nazionale.

Qui sopra, da sinistra:
Raffaello, *Maddalena Doni*
(1506 circa), Firenze,
Galleria palatina;
Raffaello, *Dama dell'unicorno*
(1506 circa), Roma,
galleria Borghese.

Nella pagina a fianco:
La Gioconda
(1513-1517 circa),
Parigi, Louvre.

Alla corte francese

Il soggiorno a Roma è dunque per Leonardo fonte di amarezze e delusioni. Come se non bastasse, nel 1516 muore il suo protettore, Giuliano de' Medici. Non è dunque strano che nel 1517 il maestro accetti la proposta di Francesco I di trasferirsi in Francia al suo servizio. Il re gli tributa i più alti onori nominandolo «primo pittore, architetto e ingegnere», gli offre un ottimo stipendio e lo alloggia nel castello di Cloux, alle porte di Amboise, dove si trovava il palazzo reale. Non si tratta quindi solo di un esilio dorato. Alla corte di Francesco I Leonardo è di nuovo protagonista, assumendo i consueti importanti compiti che hanno caratterizzato i suoi anni italiani.

Come artista, in Francia Leonardo coglie i frutti della sua piena maturità. È infatti a Cloux che il geniale maestro porta probabilmente a definitivo compimento il suo dipinto più famoso, *La Gioconda*. Sulla celeberrima opera del Louvre sono stati spesi fiumi di parole. Ciononostante, per molti aspetti la tavola leonardiana è ancora avvolta nel mistero.

Prima di tutto resta ancora ignota l'identità della modella. Prestando fede al racconto del Vasari, che peraltro non vide mai il quadro di Leonardo, si è a lungo creduto che la donna del dipinto fosse la moglie di Francesco del Giocondo, Monna Lisa Gherardini, della quale il mercante fiorentino avrebbe commissionato il ritratto. Da qui il titolo di *Gioconda*, come prende a chiamarla, proprio convinto dalla lettura del Vasari, Cassiano dal Pozzo che vede l'opera a Fontainebleau nel 1625. Tuttavia varie ragioni portano a mettere in dubbio l'identificazione della figura leonardiana con la Monna Lisa del Vasari, ipotesi oggi definitivamente scartata. Tra questi motivi, la testimonianza di Antonio de Beatis, segretario del cardinale Luigi d'Aragona insieme al quale si reca da Leonardo a Cloux nel 1517. De Beatis riferisce che nel corso di questa visita l'artista mostra al cardinale tre dipinti, dei quali uno è sicuramente la *Sant'Anna* del Louvre, un altro è forse il *San Giovanni* dello stesso museo e l'ultimo è probabilmente la *Gioconda* che viene così descrit-

La Francia di Francesco I

Figlio di Carlo d'Orléans conte di Angoulême e di Luisa di Savoia, Francesco I succede nel 1515 al suocero e lontano parente Luigi XII sul trono di Francia. Durante il suo regno, il nuovo re rafforzò il potere della monarchia e migliorò l'organizzazione dello Stato. Ansioso di accrescere la potenza della corona francese, Francesco I condusse una politica espansionistica, riuscendo a riconquistare, nell'anno stesso della sua elezione, il ducato di Milano. La sua politica di conquista doveva però scontrarsi con la potenza di Carlo V, il quale, per motivi dinastici e favorito dalle coincidenze, era riuscito a concentrare nelle proprie mani lo scettro di Spagna (1516) e quello imperiale (1519), trovandosi così a capo di un regno dai confini sterminati (sul quale «non tramontava mai il sole», come si disse) che comprendeva i territori degli Asburgo e quelli della corona spagnola. Un dominio dal quale la Francia si sentiva particolarmente minacciata, trovandosi in pratica accerchiata. A Francesco I non rimase dunque che la via del conflitto contro Carlo V, un conflitto duro, lungo e costoso che si protrasse fino alla morte del re francese, nel 1547, e che insanguinò tutta Europa, con gravi conseguenze per la storia italiana. Sul piano della vita culturale e di corte, quale sovrano tipicamente rinascimentale, dalla formazione squisitamente umanistica, Francesco I promosse le lettere e le arti, fondando il Collège de France e invitando al suo servizio personaggi illustri tra cui appunto Leonardo – che secondo Vasari addirittura «spirò in braccio a quel re» – e Benvenuto Cellini, che fece per lui la famosa *Saliera* in oro.

Qui sopra:
Jean Clouet, *Francesco I* (1525 circa), Parigi, Louvre.

Nella pagina a fianco:
esplosione vulcanica (1517 circa), Windsor, Royal Library.

ta: «Una certa donna Fi[o]rentina facta di naturale ad instantia del quondam Magnifico Juliano de Medici». Questo significa che, se il quadro di cui parla il de Beatis è davvero il dipinto del Louvre, il fatto che sia stato eseguito per Giuliano de' Medici lo rende poco probabile come ritratto della moglie di Francesco del Giocondo, oltre a ripercuotersi sulla datazione dell'opera, come si dirà tra poco.

Ma se non è Monna Lisa, chi è dunque la donna ritratta da Leonardo per il fratello di papa Leone X? Dalle parole del segretario del cardinale d'Aragona sono nate altre congetture. Così, c'è per esempio chi ha pensato a Isabella Gualandi, una gentildonna napoletana conosciuta da Giuliano. La certezza di un nome non è stata comunque ancora mai raggiunta. Oltretutto, accanto a quanti hanno cercato dietro l'ineffabile sorriso della *Gioconda* la realtà di un personaggio storico – altre "candidate" sono per esempio Costanza d'Avalos duchessa di Francavilla e Isabella d'Este –, non sono mancati quelli che hanno ritenuto il dipinto di Leonardo non il ritratto di un personaggio realmente esistito ma un ritratto ideale e simbolico. Una recente lettura avanza l'ipotesi che il quadro sia una rappresentazione allegorica della Castità (la donna seduta in posizione dominante rispetto alla valle) che vince sul Tempo (il paesaggio montuoso che si sviluppa in basso, sfaldato dalle acque).

Altre incertezze riguardano poi l'epoca dell'esecuzione. Tradizionalmente la *Gioconda* è datata al 1503-1506, al tempo dunque del secondo soggiorno fiorentino dell'artista. Ciò anche a causa del fatto che molti hanno pensato di ritrovare il riflesso di questo straordinario dipinto nelle opere del giovane Raffaello. In realtà un modello tutto "esteriore" del tipo iconografico riconducibile alla *Gioconda* era già diffuso in quegli anni attraverso altre opere di Leonardo, come per esempio dimostra un quadro come la *Dama dei gelsomini* di Melozzo da Forlì. In effetti, se come dice de Beatis, la *Gioconda* fu dipinta per Giuliano de' Medici, l'inizio della sua stesura potrebbe slittare molto più in avanti, verosimilmente verso il 1513-1516, quando

Qui sopra:
Maestro fiammingo, *Ritratto di dama* (1515 circa), da un cartone di scuola leonardesca, Roma, galleria Doria Pamphilj.

Nella pagina a fianco:
Donna in piedi presso un corso d'acqua (*Pointing Lady*) (1518 circa), Windsor, Royal Library.

Leonardo è a Roma al servizio dell'importante personaggio. E se è pur vero che ai primi del Cinquecento l'artista poté incontrare Giuliano in più di un luogo – per esempio nel 1500 a Venezia – senz'altro non poté vederlo a Firenze, dove il Medici rientra solo nel 1512 con la restaurazione della sua famiglia al potere.

A una datazione tarda del dipinto leonardesco conducono anche e soprattutto questioni di ordine stilistico. L'elaborato gioco delle velature e la sapienza geologica e atmosferica profusa nel paesaggio mirabilmente sospeso nella lontananza rimandano a studi eseguiti dopo il 1510: ai citati drappeggi – nero su nero – per il dipinto di *Sant'Anna* e ai disegni a Windsor che gli corrispondono, del 1510-1511; oppure ai paesaggi dell'Adda del 1513 e ad altri schizzati in margine a studi geometrici su fogli del 1514 e 1515. In stretta relazione con la tavola leonardesca appaiono poi uno schizzo del 1515-1516 con una ciocca di capelli ondulati ricadenti a lato di un occhio e soprattutto un disegno eseguito addirittura attorno al 1518, noto come *Pointing Lady*, dove una figura femminile simile alla *Gioconda* nel volto, nelle vesti leggere e perfino nel sorriso viene ritratta in un paesaggio di rocce, acque e piante immerso nella nebbia, mentre solleva una mano a indicare con gesto simbolico qualcosa in lontananza.

Per finire, della *Gioconda* lascia ancora perplessi il misterioso sorriso. Un sorriso che, come è stato osservato, è nello sguardo prima che sulle labbra; quell'espressione intensa degli occhi e quella bocca increspata che appartengono anche al *San Giovanni* del Louvre, un'altra delle immagini che turbano anche perché, come dalla *Gioconda*, ci si sente a propria volta guardati.

L'enigma del sorriso di *Monna Lisa* ha scatenato valanghe di congetture. Tra le più fantasiose ci sono quelle, recenti, che spiegano la strana espressione che indugia sulle labbra della *Gioconda* con cause che vanno dall'asma, all'annerimento dei denti dovuto a un trattamento al mercurio contro la sifilide, a un'emiparesi che avrebbe colpito la parte sinistra della modella, fino al bruxismo, un disturbo che porta a digrignare i denti durante il

Nella pagina a fianco, dall'alto:
studio di vecchio seduto
(1513 circa), Windsor,
Royal Library;
allegoria della navigazione
(1512 circa), Windsor,
Royal Library.

Qui sopra:
scuola di Leonardo, *Gioconda nuda*
(1515 circa), San Pietroburgo, Ermitage.

Qui sopra:
Salaì e Leonardo, *Gioconda nuda* (1515 circa).

Qui sopra:
prima riproduzione della *Gioconda* come illustrazione a un capitolo nell'edizione francese del *Trattato della pittura* di Leonardo (1651).

sonno o in periodi di stress. Una tesi forse più verosimile è invece che si tratti di una donna incinta, spiegazione che tra l'altro verrebbe a inquadrarsi bene negli studi di embriologia condotti da Leonardo nel 1510-1513. Singolare, infine, l'ipotesi avanzata da Freud in un famoso scritto dedicato al maestro del Rinascimento, secondo cui la *Gioconda* sarebbe un ritratto ideale della madre dell'artista.

Infine, ancora un dubbio: la presenza di un cartone preparatorio in cui la figura della *Gioconda* era nuda. Questo spiegherebbe per alcuni la sottigliezza del modellato che caratterizza il dipinto e le diverse *Gioconde nude* dei seguaci e degli imitatori.

Ciò detto, se è vero che durante gli anni trascorsi in Francia Leonardo si libra disinvolto nelle più alte sfere dell'arte, è anche vero che con la stessa naturalezza e non senza minore ingegno il maestro può occuparsi, come già in passato, anche di cose più superficiali e legate al contingente come feste e spettacoli. Intanto, già prima di stabilirsi a Cloux, Leonardo fa scalpore oltralpe con uno sbalorditivo automa, un "leone meccanico" fabbricato a Firenze e inviato nel 1515 a Lione per l'ingresso trionfale di Francesco I incoronato nuovo re dei francesi. Poi, dopo il suo trasferimento in Francia, ecco che nel 1518 il maestro cura gli strepitosi allestimenti per festeggiare la presenza del re a Cloux, a imitazione di quelli approntati per la famosa *Festa del paradiso* di milanese memoria, e nello stesso anno progetta gli apparati che ad Amboise fanno da cornice al battesimo del Delfino e alle nozze di Lorenzo de' Medici (nipote di papa Leone X e futuro padre di Caterina de' Medici regina di Francia) con Maddalena de la Tour d'Auvergne, nipote di Francesco I.

Oltre a ciò, come sempre, accanto all'artista ritorna il tecnico e lo scienziato. Così, proseguendo le esperienze di Milano, Firenze e Roma, anche in Francia Leonardo applica nuovamente la sua attenzione agli studi sulle correnti e sui vortici d'acqua. Prendono forma altri progetti di canalizzazione e bonifica, come quello per incanalare la Sologne e il piano di sistemazione della zona paludosa at-

Nella pagina a fianco, dall'alto:
Animale fantastico, probabile studio per un automa (1517-1518 circa), Windsor, Royal Library, 12329;
disegni e annotazioni (1517-1518), particolare, *Codice Arundel*, f. 270r.

Qui a sinistra, dall'alto:
foto della chiesa di Saint-Florentin ad Amboise;
Telemaco Signorini, *Chiesa di Saint-Florentin* (1885 circa), Biblioteca di Castel Vitoni.

Qui sotto:
Jean-Auguste-Dominique Ingres, *Francesco I riceve l'ultimo respiro di Leonardo da Vinci*, Parigi, Musée du Petit Palais.

torno a Romorantin. Proprio in questa località avrebbe dovuto sorgere il palazzo reale progettato da Leonardo per la regina madre, Luisa d'Angoulême contessa di Savoia, per la quale l'artista torna a vestire i panni dell'architetto. Nel caso del palazzo di Romorantin il progetto leonardesco fu addirittura avviato, ma la zona malarica impedì il proseguimento dei lavori, cosicché la residenza reale fu poi costruita più a nord, a Chambord. Qui la costruzione del castello fu iniziata nel 1519, a pochi mesi dalla morte di Leonardo, ma è impossibile dire se e fino a che punto i suoi disegni per Romorantin furono riutilizzati. La pianta del castello è piuttosto semplice; uno schema lineare – che in definitiva ricorda quello del Castello sforzesco di Milano da lui ben conosciuto – su cui l'artista articola però una sorta di residenza-città, ricca di soluzioni architettoniche. Ed è proprio in questo movimentato sviluppo che risiede l'importanza del progetto leonardesco, in questo studio di un organismo complesso in grado di assolvere contemporaneamente a funzioni abitative, di svago e di servizio. Il tutto con la complicità di un sistema di acque correnti impiegate per usi pratici e dilettevoli (la piscina per le naumachie).

Nell'aprile del 1519, Leonardo fa testamento. Forse sente che la sua ultima ora è ormai vicina. Già nel 1517, al tempo della visita del cardinale d'Aragona, il De Beatis accenna all'emiparesi che lo ha colpito alla parte destra, fonte di indubbi fastidi nonostante l'artista fosse mancino e quindi potesse ancora usare la sinistra, che era la mano buona. Suo esecutore testamentario viene nominato l'amico e allievo Francesco Melzi, a cui Leonardo lascia i suoi manoscritti oltre ad «altri instrumenti et portracti». Il maestro chiede di essere seppellito nella chiesa di Saint-Florentin ad Amboise.

Il momento del trapasso, il 2 maggio 1519, è stato immaginato e fissato in dipinti dei secoli successivi, il più celebre dei quali è quello di Ingres che, seguendo la leggenda, fa morire Leonardo tra le braccia di Francesco I in una scena ricca di pathos dal gusto tipicamente romantico.

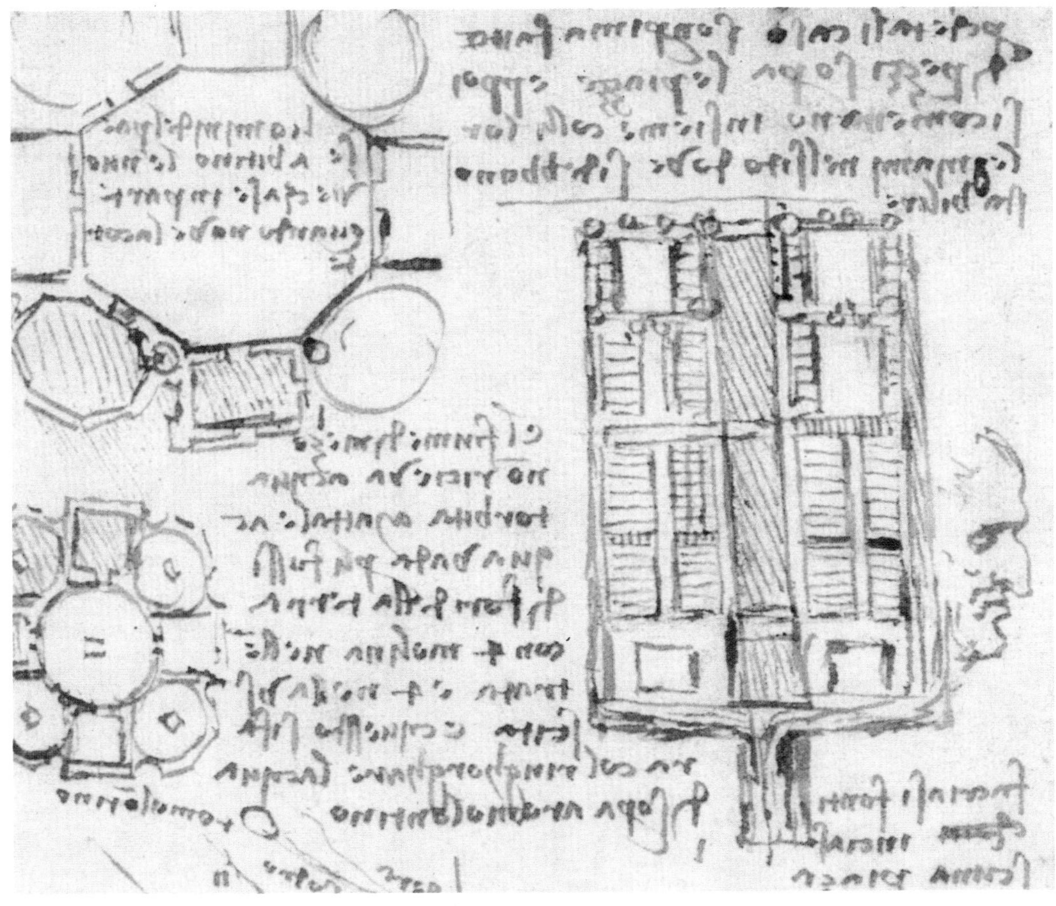

Il furto della *Gioconda*

Sembra incredibile, ma all'inizio del Novecento il quadro più famoso del mondo fu clamorosamente rubato. Era la domenica del 20 agosto 1911. Il Louvre, come sempre, era affollato e come accade ancora oggi, la folla si accalcava in particolare nel Salon Carré per vedere la *Gioconda*. Tra i visitatori c'erano anche tre italiani, Vincenzo Peruggia e i fratelli Lancellotti. In precedenza, il primo aveva lavorato nel museo, quando gli era stato affidato il compito di realizzare, con altri artigiani, una teca proprio per proteggere la Monna Lisa. Al Louvre lavoravano abitualmente dei copisti, regolarmente ammessi allo studio e alla riproduzione dei capolavori del museo. Per riporre i loro materiali senza portarseli avanti e indietro ogni giorno, gli artisti avevano a disposizione uno sgabuzzino. Proprio qui si nascosero Vincenzo Peruggia e i suoi complici aspettando l'indomani. Il lunedì infatti il Louvre era chiuso per i lavori di manutenzione. Al mattino presto i tre compari riemersero camuffati da uomini delle pulizie. Al momento giusto, Peruggia si diresse nel Salon Carré, staccò la *Gioconda* e, grazie anche a una serie di circostanze favorevoli, si allontanò col quadro sottobraccio uscendo tranquillamente dal museo. Incredibilmente, nessuno, prima del martedì pomeriggio, si accorse del furto. La cosa può sembrare assurda ma in effetti allora i dipinti erano spesso staccati dal muro per essere fotografati o esaminati e la mancanza di un'opera non significava necessariamente che era stata rubata. Quando finalmente fu dato l'allarme, ben sessanta ispettori e oltre cento gendarmi accorsero al Louvre. Per un'intera settimana la squadra setacciò ogni angolo del museo, stanza per stanza, piano per piano. Ma ormai la *Gioconda* aveva preso il volo. E pensare che solo l'anno prima Théophile Homolle, direttore dei musei di Francia, aveva dichiarato: «Rubare la Monna Lisa? È come pensare che qualcuno possa rubare la torre della cattedrale di Notre-Dame». Eppure accadde.
La notizia del furto scioccò l'opinione pubblica, rimbalzando su tutte le prime pagine dei giornali. Chi poteva aver commesso quell'inconcepibile furto? Qualcuno che lavorava nel museo, uno degli addetti alle pulizie o una

Qui a destra:
cartolina postale commemorativa del ritorno della *Gioconda* al Louvre nel 1914.

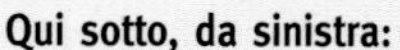

Qui sotto, da sinistra:
Vincenzo Peruggia, l'autore del furto della *Gioconda*, avvenuto nel 1911;
un'immagine satirica ispirata alle vicende della *Gioconda*, qui ricondotta in Francia via Milano dallo stesso Leonardo.

guardia sottopagata? O magari gli stessi dirigenti del Louvre? Saltò qualche testa, ci furono licenziamenti, sospensioni. Ma la *Gioconda* non fu ritrovata.
Alla riapertura del Louvre, una settimana dopo, una grande folla si radunò come per un funerale, sciamando nel Salon Carré dove tutti volevano vedere il vuoto lasciato dal quadro rubato, i lacci col quale era appeso, il mazzo di fiori portato da uno sconosciuto. Il clamore fu tale che alcuni, pur non avendo mai visto il dipinto, andarono lo stesso a vedere da dove lo avevano portato via. Intanto ci fu il boom delle cartoline ricordo e attorno alla scomparsa della *Gioconda* proliferarono parodie, frizzi, e lazzi, a teatro come sulla stampa.
Per due anni si ignorò che fine avesse fatto il quadro. E il bello è che si trovava a due passi dal Louvre, nella misera casa abitata da Vincenzo Peruggia.
Ma per conto di chi avevano operato l'artigiano e i suoi complici? Assurdamente, nello scandalo finirono coinvolti anche Picasso e il poeta Apollinaire. Ma, probabilmente, a commissionare il furto fu un argentino cinquantenne, Eduardo de Valfierno, non nuovo alla vendita di falsi di opere d'arte. Il suo scopo sarebbe stato quello di vendere ben sei fedelissime copie della *Gioconda* – fatte fare già prima del furto con la complicità del restauratore Yves Chaudron – ad altrettanti compratori americani convinti di stare acquistando l'originale. Dopodiché, Valfierno non avrebbe più avuto interesse a farsi dare da Peruggia la vera *Gioconda*.
Per questo l'opera era rimasta presso l'artigiano italiano che allora decise di ritornare in patria per tentare di venderla. Fu così che il 10 dicembre 1913 Peruggia contattò a Firenze un celebre antiquario, Alfredo Geri, portandolo nella sua stanzetta d'albergo – poi ribattezzato hotel Gioconda – dove da sotto il letto tirò fuori una valigia con dentro il capolavoro di Leonardo.
Tre giorni dopo Peruggia venne arrestato. Al processo affermò sempre di avere agito per patriottismo, volendo riportare la *Gioconda* nella terra del suo autore. Se la cavò con poco più di un anno di detenzione. La *Gioconda* tornò al suo posto, al Louvre, il 4 gennaio 1914.

Qui sopra:
un'immagine della parata di Parigi del 1912 che mostra una *Gioconda* che si invola dal Louvre su un aeroplano.

A destra:
misure di protezione per la visita di *Monna Lisa* a Washington nel 1963.

Il mito di Leonardo

Elaborazione precoce di una leggenda

Leonardo era un mito già in vita, come Michelangelo e Raffaello. Quando ancora si trovava a Milano presso Ludovico il Moro, il poeta di corte Bernardo Bellincioni ne celebrò l'ingegno versatile ricordando l'allestimento da lui curato per la celebre *Festa del paradiso*, lo spettacolo con cui si dette seguito nel 1490 ai festeggiamenti per le nozze di Gian Galeazzo Sforza con Isabella d'Aragona. Per questo "evento" teatrale a sfondo mitologico, Bellincioni racconta che «si era fabbricato con il grande ingegno et arte di Maestro Leonardo da Vinci fiorentino il paradiso con tutti li sette pianeti che giravano, e li pianeti erano rappresentati da uomini». Ancora nelle *Rime* bellincioniane del 1493 Leonardo ricompare, menzionato a margine in una chiosa al verso: «Di Firenze uno Apelle è qui condotto». Si tratta di un paragone più che lusinghiero, che accosta il maestro toscano al leggendario artista dell'antichità capace di dipingere "l'invisibile", a colui che veniva considerato il pittore per antonomasia.

Un'altra testimonianza della fama raggiunta da Leonardo tra i contemporanei viene anche da Bandello, che in una delle sue *Novelle* (Prima parte, novella LVIII), pubblicate nel 1554, ricorda il geniale artista mentre era intento a lavorare all'*Ultima cena* nel refettorio di Santa Maria delle Grazie dove «alcuni gentiluomini [...] cheti se ne stavano a contemplar il miracoloso e famosissimo cenacolo di Cristo con i suoi discepoli che allora l'eccellente pittore Lionardo Vinci fiorentino dipingeva».

Col passare del tempo, la fama e la fortuna di Leonardo non sono diminuite e oggi il genio di Vinci è più che mai un mito, al punto che è difficile, se non impossibile, percepire la sua figura in senso strettamente filologico. Di fatto, nei secoli la sua immagine si è stratificata, assommando in sé caratteristiche che spesso poco hanno a che vedere col personaggio storico realmente esistito. Così, per

Qui sopra:
Peter Paul Rubens, disegno grottesco, copia da Leonardo (1603 circa), Vienna, Albertina.
A sinistra:
il rovescio della versione italiana della moneta da 1 euro con la riproduzione dell'*Uomo vitruviano* di Leonardo.

Nella pagina a fianco, dall'alto:
Andy Warhol, *L'ultima cena. Nero/Verde* (1986);
Giacomo Raffaelli, mosaico con il *Cenacolo* (1806-1814 circa), ripreso da un cartone di Giuseppe Bossi, Vienna, chiesa degli Italiani.

Nelle pagine 108-109:
folla di turisti davanti alla *Gioconda*, Parigi, Louvre.

INVENZIONI CELEBRI, TRA VERO E FALSO

Leonardo è noto a tutti come un grande inventore. Tuttavia, praticamente nessuna delle macchine da lui progettate fu realizzata, o almeno l'unica a essere documentata è un contatore idraulico costruito attorno al 1510 per il mercante e umanista fiorentino Bernardo Rucellai. Tra i suoi progetti, quelli che più hanno colpito la fantasia dei contemporanei riguardano macchine che sembrano aver precorso alcune fondamentali invenzioni dei tempi moderni. Prima fra tutte la macchina volante. All'inizio compare l'"ornitottero", un apparecchio che intende riprodurre il battito alare degli uccelli sfruttando la forza dei muscoli umani. In seguito, anche grazie all'osservazione dei cervi volanti, aquiloni che all'epoca potevano essere così grandi da sollevare un uomo, Leonardo passa a qualcosa di molto simile al moderno deltaplano, una macchina capace di sfruttare le correnti d'aria. C'è poi il disegno avveniristico di una vite aerea che sembra addirittura un antenato dell'elicottero. A proposito della macchina volante di Leonardo, si sente ancora ripetere la storia del tentativo fallito del giovane Zoroastro che per provarla si getta dalla cima del monte Ceceri, nelle vicinanze di Firenze. Ma è solo una leggenda che ha probabilmente origine proprio in una profetica frase di Leonardo: «Piglierà il primo volo il grande uccello, sopra del dosso del suo magno Cécero empiendo l'universo di stupore, empiendo di sua fama tutte le scritture, e gloria etterna al nido dove nacque».
Altri famosi studi leonardiani sono quelli relativi alle apparecchiature per la respirazione subacquea, con i disegni di rudimentali maschere e scafandri o di salvagenti. Oppure quelli per un sottomarino, un'invenzione alla quale fa riferimento lo stesso Leonardo scrivendo di non volerla divulgare perché potenzialmente dannosa per l'umanità: «E questo non pubblico o divolgo per le male nature delli omini».
Nel *Codice Atlantico* compaiono schizzi per un veicolo automotore a molle, con tre ruote e sterzo (una sorta di automobile). *Nel Codice sul volo degli uccelli* è invece descritto un dispositivo di protezione del corpo dalle cadute con otri gonfiati: un prototipo di air-bag.
Decisamente falsa è invece l'attribuzione al maestro della prima bicicletta, avanzata sulla base di un disegno ritrovato negli anni Sessanta durante il restauro del *Codice Atlantico*. Eppure è anche questa una convinzione profondamente radicata nella fantasia popolare. Lo testimoniano tra l'altro le magliette-souvenir con "La bicicletta di Leonardo" che chiunque può comprare sui banchi del celebre mercatino fiorentino di San Lorenzo.

esempio, c'è chi in Leonardo vede il "genio" romanticamente inteso, che si erge sulla massa dei consimili per la sua diversità: benedizione e insieme condanna del singolo; oppure chi lo ha considera come un precursore della fede positivista nel progresso, proiettato verso il futuro con le sue mirabolanti invenzioni e la sua attività di scienziato che spazza via le superstizioni medievali, liberando l'uomo dai suoi limiti terreni; o ancora chi lo ammira come l'autore di quell'icona miracolosa dei tempi moderni che tutti vanno a vedere a Parigi in una sorta di pellegrinaggio laico. Proprio la *Gioconda* è in effetti uno dei cardini attorno al quale ruota il mito di Leonardo. Oggi – nell'epoca della riproducibilità tecnica dell'opera d'arte, per dirla con Benjamin – dell'immagine di *Monna Lisa* si è indubbiamente abusato come non mai, sfruttandone la riproduzione per un business vincente in partenza, dal poster alla maglietta, dai souvenir ai gadget di ogni tipo.

Qui sopra:
studio per una macchina volante (il cosiddetto "elicottero") (1487-1490), particolare, *Manoscritto B* (f. 83v), Parigi, Institut de France.

A sinistra:
il celebre disegno (falso) di una "bicicletta" emerso durante un restauro di un foglio del *Codice Atlantico*.

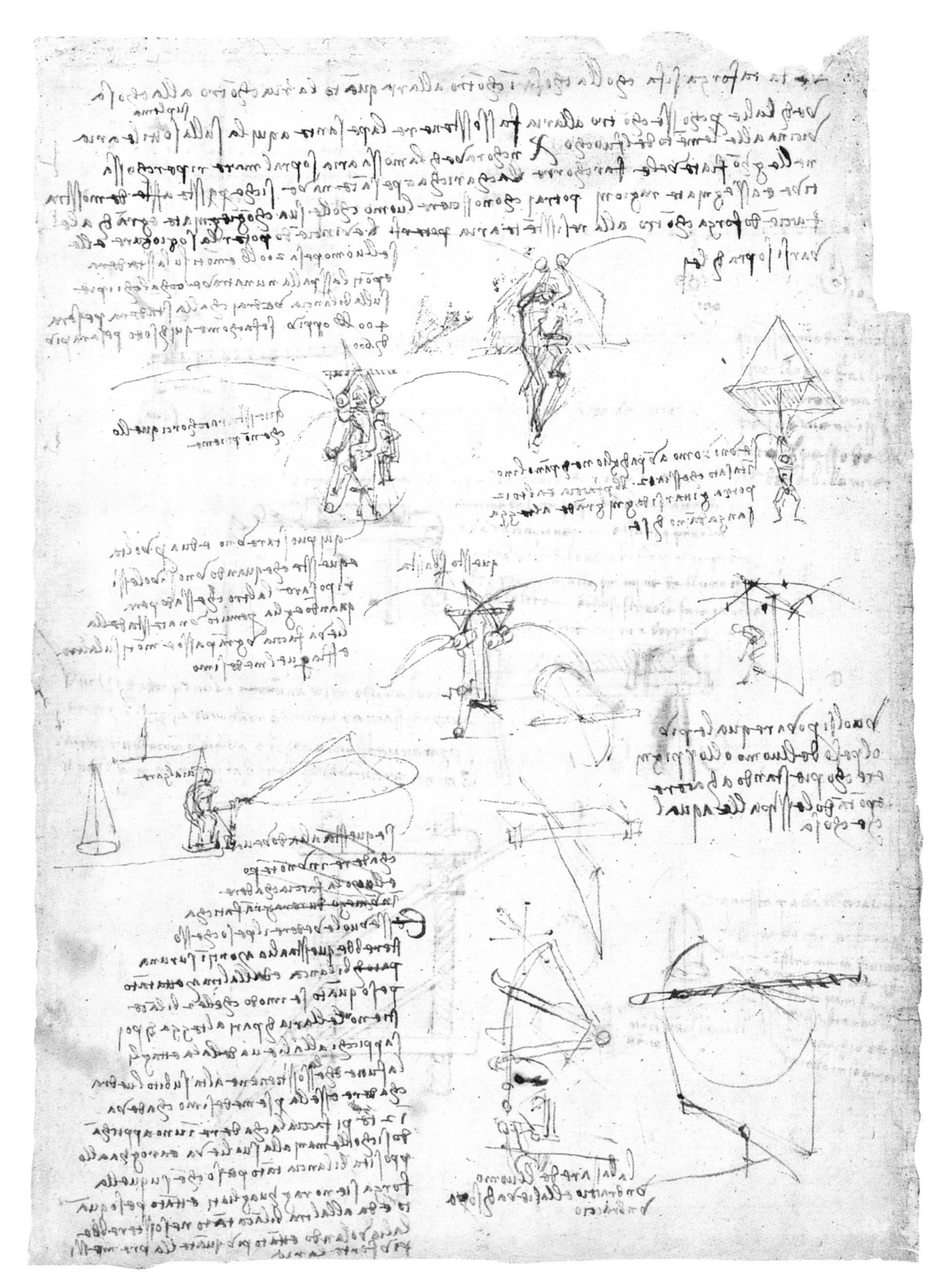

Qui sopra:
studi sul volo artificiale (1480 circa), *Codice Atlantico*, f. 1058v, Milano, Biblioteca ambrosiana

Freud e Leonardo

Anche Sigmund Freud subì il fascino di Leonardo al quale dedicò, nel 1910, un saggio in cui il fondatore della psicoanalisi traccia un ritratto discutibile ma indubbiamente non trascurabile del geniale artista.
Il breve frammento qui riportato è tratto da un capitolo in cui Freud interpreta alcuni comportamenti e atteggiamenti mentali del Leonardo adulto come reazioni al rapporto col padre durante l'infanzia.
«Ma quel suo [di Leonardo] insegnare a spregiare l'autorità e a respingere l'imitazione degli "antichi", quel suo non stancarsi di indicare nello studio della natura la fonte di ogni verità, ripetevano soltanto, nella forma più alta di sublimazione che sia concessa all'uomo, la convinzione che già urgeva in lui bambino, quando con stupore aveva aperto gli occhi sul mondo. Ritradotti dall'astrazione scientifica nella concreta esperienza individuale, gli antichi e l'autorità corrispondevano unicamente al padre, e la natura ridiventava la tenera madre benigna che l'aveva nutrito».

Il brano è tratto da S. Freud, *Un ricordo d'infanzia di Leonardo da Vinci*, in *Opere*, Boringhieri, Torino 1974, vol. 6, pp. 207-285.

A sinistra
Marcel Duchamp, *L.H.O.O.Q.* (1919).

A sinistra:
Jean-Baptiste-Camille Corot, *Ritratto di donna con perla* (1868-1870), Parigi, Louvre.

Nella pagina a fianco:
Andy Warhol, *Mona Lisa (Colored)* (1963).

Gioconda come un'ossessione

A quest'opera in particolare è stata dedicata da sempre una grande attenzione, a cominciare dalla descrizione minuziosa fattane da Vasari – sebbene lo scrittore cinquecentesco, vale la pena di ricordarlo, non avesse mai visto personalmente il dipinto – che nelle *Vite* si inventa addirittura dettagli inesistenti, come per esempio le ciglia. Ma il picco della sua popolarità *Monna Lisa* lo raggiunge nell'Ottocento, il secolo in cui si verifica una vera e propria esplosione del "leonardismo". Intanto, nel 1800 Napoleone si porta la *Gioconda* – "Madame Lisa", come amava chiamarla – in camera da letto, al palazzo delle Tuileries. Poi, nel 1804, l'opera fa il suo ingresso al Louvre. La sua fortuna è così definitivamente decretata, non solo per la possibilità di essere vista da molta più gente ma anche perché si tratta di un'opera che, con la sua aura di mistero e per il suo carattere ambiguo e androgino, si presta particolarmente bene a esercitare una forte attrazione sia in epoca romantica che, poi, nell'era decadente. E se un artista come Corot (*Ritratto di donna con perla*, 1868) si ispira direttamente al modello leonardiano, è soprattutto in ambito letterario che *Monna Lisa* viene esaltata e mitizzata, da Théophile Gautier a Georges Sand, a Joseph Péladan, Jean Lorraine, Jules Laforgue, da Swinburne a Walter Pater a Oscar Wilde. Anche Gabriele d'Annunzio – tra l'altro autore delle *Vergini delle rocce* e della *Leda senza cigno* – scrive nel 1898 una tragedia intitolata *La Gioconda*, perdipiù dedicandola a «Eleonora Duse dalle belle mani», apprezzamento che mette in luce nella "divina" attrice una qualità decisamente leonardiana. Inoltre, a riprova dell'immensa fortuna di questo dipinto, perfino un narratore "popolare" come Jules Verne scrive nel 1874 una commedia intitolata *Monna Lisa*.

Se tuttavia è vero che la *Gioconda* è stata idolatrata, è anche vero, però, che come ogni oggetto di amore viscerale è stata anche esecrata. Nei confronti di questa immagine cult, divenuta simbolo dell'Arte con la A maiuscola, si scatena infatti l'iconoclastia delle avanguardie del

Qui sotto:
Aimée Brune-Pages, *Leonardo mentre dipinge la Gioconda* (1845), incisione di Charles Lemoine dal dipinto originale, Parigi, Bibliothèque Nationale.

Qui sopra:
Fernand Léger, *Gioconda con le chiavi* (1930), Biot, Musée Fernand Léger.

Novecento. I futuristi la detestano: «Vedo scritto su un muro a grandi lettere bianche su sfondo blu: GIOCONDA ACQUA PURGATIVA ITALIANA. E poi giù la faccia melensa di Monna Lisa. Finalmente! Ecco che si comincia anche da noi a far della buona critica artistica», scrive nel 1914 Ardengo Soffici, mentre Carrà la definisce «fetida». Cominciano ad apparirne immagini dissacratorie: nel 1914 Malevič la "espunge" con due freghi in croce e nel 1919 Duchamp la dipinge coi baffi, realizzando l'archetipo di ogni futura immagine trasgressiva del capolavoro leonardiano; tanto più che l'inventore del "ready-made" correda questa sua "rivisitazione" di un titolo scandalosamente provocatorio, *L.H.O.O.Q*, iniziali che lette di seguito in lingua francese suonano come: "Elle a chaud au cul", qualcosa come "Le brucia il c...". A quello di Duchamp seguono poi molti altri esempi, quasi sempre irriverenti o che comunque usano l'effigie di *Monna Lisa* per un discorso artistico anticonvenzionale, da una *Gioconda* di Dalí anche questa con i baffi, ma stavolta identici a quelli del pittore spagnolo, alla *Gioconda con le chiavi* di Léger, alla scultura "assente" (1967) di Magritte, alle ancora più recenti *Gioconde* "multiple" e "trattate" di Warhol, e alle molte altre versioni del dipinto.

Accanto alla *Gioconda*, un'altra opera cult della produzione leonardiana è il *Cenacolo*, dipinto altrettanto fortunato e ripreso in epoche successive fino ai nostri giorni (si pensi per esempio ai *Cenacoli* "rivisitati" da Andy Warhol), spesso con modalità analoghe a quelle viste per la *Gioconda*, anche se riproposto con minor frequenza.

Molto noto, riprodotto e "rifatto" è poi anche l'*Uomo vitruviano*, il disegno del 1490 da cui per esempio Mario Ceroli ha tratto la scultura che campeggia nella piazza antistante il Museo leonardiano di Vinci (v. pp. 14-15) e che, tra l'altro, è stato inciso sulle monete italiane da 1 euro della nuova moneta europea.

Proprio per documentare il fenomeno del "leonardismo" è nato a Vinci nel 1972 l'Archivio Leonardismi, dal 1993 sezione del Museo ideale di Vinci, che con esposizioni e artefatti testimonia la vitalità della figura di Leonardo.

A sinistra:
Chester Browton,
A Chipp Off the Old Block (1974).

Qui sopra:
Terry Pastor, *Magritta Lisa* (1974).

Qui sopra, dall'alto:
Rita Greer, *Mona Lisamouse* (1977);
Rick Meyerowitz, *Mona Gorilla* (1971), manifesto.

LEONARDO ROMANZATO

Leonardo da Vinci o La resurrezione degli dei è un romanzo dello scrittore russo Dmitrij Sergeevič Merežkovskij, pubblicato nel 1901. L'opera fa parte di una trilogia di romanzi dal titolo *Cristo e Anticristo*, ognuno dei quali è incentrato sulla figura di un famoso personaggio storico: il geniale artista del Rinascimento è appunto il protagonista del secondo volume; il più problematico degli imperatori romani lo è del primo, *Giuliano l'Apostata o La morte degli dei* (1896); infine, lo zar Pietro il Grande è il personaggio principale del terzo, *Pietro e Alessio o L'Anticristo* (1905).
Nel romanzo dedicato a Leonardo, Merežkovskij traccia un'avvincente biografia del geniale artista intrecciando storia e fantasia in un appassionante racconto che sottolinea i momenti più significativi della vita e dell'opera di questo personaggio entrato nella leggenda.
Tra i molti suggestivi brani del romanzo, ce n'è per esempio uno contenuto nel *Diario di Giovanni Boltraffio*, il capitolo in cui l'autore finge di riportare le pagine scritte da uno dei più noti allievi di Leonardo sulla propria esperienza accanto al grande maestro. L'azione si svolge a Milano, dove Leonardo sta lavorando al *Cenacolo*: «Osservo come lavora attorno alla *Santa Cena*. Alla mattina presto, appena sorto il sole, esce di casa e se ne va al convento; per tutta la giornata, fin quasi al crepuscolo, rimane a dipingere, dimenticandosi persino di mangiare. Qualche volta invece passano intere settimane senza che si decida a riprendere i pennelli. Però ogni giorno per due o tre ore se ne rimane ritto davanti al dipinto, a esaminare, soppesare e meditare il lavoro compiuto. Talvolta, in pieno mezzogiorno, interrompe bruscamente un lavoro cominciato, per precipitarsi al convento, correndo quasi per le vie deserte senza neppur ripararsi all'ombra dal sole cocente, come spinto da una strana irresistibile forza; e giunto al convento sale sull'impalcatura, afferra i pennelli, dà due o tre rapidi tocchi al quadro e se ne ritorna rapidamente a casa. In questi ultimi giorni il maestro ha lavorato alla testa dell'apostolo Giovanni. Voleva, a quanto ha detto, finirla proprio oggi; invece con mio grandissimo stupore, non si è mosso da casa e fin dal mattino si è messo [...] a osservare il volo dei calabroni, delle vespe e delle mosche. È talmente immerso nello studio della struttura dei loro corpi e delle loro ali, che si direbbe ne dipendano le sorti dell'universo. Ha toccato le vette della felicità avendo scoperto che le zampette posteriori delle mosche servono anch'esse da timone di direzione: a suo parere, tale scoperta è enormemente preziosa e utile alla costruzione della sua macchina per volare. Può darsi benissimo, ma è tuttavia spiacevole pensare che la testa dell'apostolo Giovanni sia rimasta incompiuta anche oggi, per l'osservazione delle zampette delle mosche».

(Il brano è tratto da D. S. Merežkovskij, *Leonardo da Vinci*, Giunti, Firenze 1998).

Nella pagina a fianco:
Bruno Barnabè nei panni di Leonardo in una scena del film *L'ultima cena* (1950), di Luigi Giachino.

A destra:
l'attore Fëdor Šaljapin interpreta Leonardo nel film *I sovversivi* (1967) dei fratelli Taviani.

LEONARDO IL DIVO

Oltre che nell'arte e nella letteratura, il mito di Leonardo è stato celebrato anche dal cinema dove l'interesse per l'eclettico artista rinascimentale si è spostato principalmente sul personaggio, sulla sua dimensione umana, come nella riuscita ricostruzione biografica del film tv di Renato Castellani *La vita di Leonardo da Vinci*, del 1971. Momenti cruciali della narrazione filmica sono quelli in cui Leonardo affronta impassibile la realtà della morte, per esempio quando ritrae uno dei giustiziati della congiura dei Pazzi del 1478 o quando disseziona cadaveri nell'ospedale fiorentino di Santa Maria Nuova. Sono momenti esemplari, attraverso i quali il regista intende comunicare la spinta imperativa che anima la sete di conoscenza del geniale maestro, al di là di ogni scrupolo morale. E viene in mente un passaggio dello scritto di Freud su Leonardo, in cui il medico viennese nota che l'artista – quasi un animalista e pacifista ante litteram – «era mite e benevolo con tutti, rifiutava a quanto pare di mangiar carne, perché non riteneva giusto togliere la vita agli animali, e trovava un singolare piacere nel dare la libertà agli uccelli che comperava al mercato. Condannava la guerra e gli spargimenti di sangue e chiamava l'uomo non tanto "re degli animali" quanto piuttosto la "prima bestia infralli animali". Ma», prosegue Freud «questa femminea delicatezza del sentire non gli impediva di accompagnare delinquenti condannati a morte verso il luogo dell'esecuzione, per studiare le espressioni dei loro volti stravolti dall'angoscia e ritrarle nel suo taccuino, non gli impediva di proget-

Qui sopra:
Philippe Leroy nei panni di Leonardo nella *Vita di Leonardo* televisiva (1971) di Renato Castellani.

Qui sotto:
Leonardo-Patrick Godfrey e Cenerentola-Drew Barrymore in *La leggenda di un amore* (1998), di Andy Tennant.

Nella pagina a fianco, dall'alto:
Leonardo, Ludovico il Moro e Cecilia Gallerani in una scena dalla *Vita di Leonardo* televisiva (1971) di Renato Castellani; rappresentazione del *Cenacolo* di Leonardo nel film *Viridiana* (1961) di Luis Buñuel.

tare le più atroci armi offensive e di porsi al servizio di Cesare Borgia in qualità di supremo ingegnere militare. Sembrava spesso indifferente al bene e al male».

Un altro film che ha a che vedere con Leonardo è anche *Non ci resta che piangere* di Benigni e Troisi (1984). Qui viene posto soprattutto l'accento sul Leonardo scienziato e inventore, un altro degli aspetti più amati e celebrati del maestro toscano nel corso del tempo. Ma la chiave di lettura è in questo caso decisamente satirica. I protagonisti del film, che nella finzione scenica sono finiti per una strana combinazione nell'anno 1492 (si ricordi che per la realtà storica, in quell'anno Leonardo si trova a Milano, alla corte del Moro) incontrano l'artista – le cui sembianze sono quelle, ormai topiche, del noto (supposto) *Autoritratto* di Torino – sulle rive di un fiume, alle prese, manco a dirlo, con una delle sue invenzioni, una macchina idraulica esemplata su quelle effettivamente presenti in alcuni suoi disegni. In una gag irresistibile, i nostri cercano di sfruttare l'occasione di avere a portata di mano un grande inventore, per riuscire col suo aiuto a costruire, in anticipo con i tempi, apparecchi di là da venire e acquisire così gloria e denaro. Cercano dunque di spiegargli prima il funzionamento del treno, poi del termometro; ma vanamente: Leonardo finisce col deluderli, resta perplesso, sembra non capire. I due si allontanano sconsolati, avviliti per aver creduto nelle possibilità di un personaggio evidentemente sopravvalutato dalla storia. Salvo poi a veder riscattato il genio di Leonardo nel finale, quando il maestro arriva alla grande alla guida di un treno a vapore che è riuscito nonostante tutto a inventare, sulla base delle poche e confuse indicazioni dei due amici "venuti dal futuro".

Questo Leonardo farsesco, in cui confluiscono tutti i luoghi comuni relativi al suo personaggio, è l'ennesima riprova del mito ben consolidato che meritatamente coinvolge una delle figure più complesse e affascinanti della storia dell'umanità.

CRONOLOGIA

AVVENIMENTI STORICI E ARTISTICI		VITA DI LEONARDO
Ad Arezzo, in San Francesco, Piero della Francesca inizia il ciclo di affreschi con la *Leggenda della vera Croce.*	1452	Leonardo nasce a Vinci il 15 aprile, figlio naturale del notaio ser Piero di Antonio da Vinci.
La pace di Lodi apre un periodo di stabilità politica in Italia.	1454	
	1469	Presumibilmente in questo anno entra nella bottega del Verrocchio.
	1472	È iscritto nella compagnia dei pittori, la Compagnia di San Luca. A partire da questa data sono da collocarsi le sue prime opere: apparati per feste e tornei, un cartone per arazzo (perduto) e i dipinti di incerta datazione.
	1473	Data al 5 agosto il disegno con il *Paesaggio della valle dell'Arno* (Firenze, Uffizi).
A Milano Galeazzo Maria Sforza è assassinato in una congiura. Gli succede il figlio Gian Galeazzo, la città è governata dal Simonetta.	1476	È accusato di sodomia assieme ad altre persone. È assolto dall'accusa.
La congiura dei Pazzi, fomentata dal papa Sisto IV, fallisce; muore Giuliano de' Medici, ma l'autorità del fratello, Lorenzo il Magnifico, ne esce rafforzata.	1478	È incaricato di eseguire la pala d'altare per la cappella di San Bernardo nel palazzo della Signoria. In questo stesso anno afferma di avere eseguito due dipinti della Vergine, uno dei quali è identificato con la *Madonna Benois.*
Ludovico Sforza uccide il Simonetta, imprigiona il nipote e diventa illegittimamente signore di Milano.	1480	Secondo l'Anonimo Gaddiano lavora per Lorenzo de' Medici.
	1481	Stipula del contratto per l'*Adorazione dei magi.*
	1482	Si trasferisce a Milano, lasciando incompiuta l'*Adorazione* appena iniziata.
Raffaello nasce a Urbino.	1483	A Milano, stipula il contratto per la *Vergine delle rocce* assieme a Evangelista e Ambrogio de Predis.
	1487	Pagamenti per i progetti per il tiburio del duomo di Milano.
Verrocchio muore a Venezia, dove stava realizzando il monumento equestre del Colleoni. Bramante è a Pavia, dove è consultato per il progetto del Duomo.	1488	
	1489	Realizza degli apparati provvisori per festeggiare le nozze tra Gian Galeazzo Sforza e Isabella d'Aragona. In questo stesso anno hanno inizio i preparativi per la colossale statua equestre in onore di Francesco Sforza.
	1491	Giovanni Giacomo Caprotti da Oreno detto "Salaì", che allora aveva dieci anni, entra al servizio di Leonardo. Il soprannome "Salaì", che vuol dire "diavolo", deriva dal carattere turbolento del ragazzo.

AVVENIMENTI STORICI E ARTISTICI		VITA DI LEONARDO
A Firenze muore Lorenzo de' Medici. Si incrina il sistema di alleanze sancito dalla pace di Lodi.	1492	In occasione del matrimonio tra Ludovico il Moro e Beatrice d'Este, disegna i costumi per il corteo di sciti e di tartari.
Il re di Francia Carlo VIII, alleatosi con Ludovico il Moro, scende in Italia a rivendicare i suoi diritti sul regno di Napoli.	1494	Lavori di bonifica a una tenuta dei duchi presso Vigevano.
	1495	Inizia il *Cenacolo* e anche la decorazione dei camerini del Castello sforzesco. L'artista è citato come ingegnere ducale.
	1497	Il duca di Milano sollecita l'artista a portare a termine il *Cenacolo,* che è probabilmente concluso alla fine dell'anno.
Pollaiolo muore a Roma, dove aveva realizzato le tombe di Sisto IV e di Innocenzo VIII. Michelangelo è incaricato di scolpire la *Pietà* in San Pietro. A Firenze Savonarola è mandato al rogo.	1498	Termina la decorazione della sala delle Asse nel Castello sforzesco.
Luca Signorelli inizia gli affreschi della cappella di San Brizio nel duomo di Orvieto. Milano è occupata dal re di Francia Luigi XII.	1499	Lascia Milano in compagnia di Luca Pacioli. Si ferma prima a Vaprio presso il Melzi, poi si dirige a Venezia passando per Mantova, dove esegue due ritratti di Isabella d'Este.
A Firenze, Piero di Cosimo dipinge le *Storie dell'umanità primitiva.*	1500	A marzo arriva a Venezia. Rientra a Firenze e alloggia presso il convento dei serviti alla Santissima Annunziata.
A Roma, Bramante inizia il tempietto di San Pietro in Montorio e il cortile del Belvedere.	1502	Entra al servizio di Cesare Borgia come architetto e ingegnere generale, seguendolo nelle sue campagne militari in Romagna.
	1503	Ritorna a Firenze dove, secondo il Vasari, esegue la *Gioconda.* Elabora progetti di deviazione dell'Arno durante l'assedio di Pisa. La Signoria lo incarica di dipingere la *Battaglia di Anghiari.*
Michelangelo termina il *David* commissionato tre anni prima dalla repubblica di Firenze. Raffaello dipinge il *Matrimonio della Vergine.* Si trasferisce poi a Firenze, dove è influenzato dall'opera di Leonardo.	1504	Continua a lavorare alla *Battaglia di Anghiari.* È chiamato a far parte della commissione che deve decidere la collocazione del *David* di Michelangelo. Primi studi per la *Leda.*
	1506	Lascia Firenze per Milano, impegnandosi a rientrare entro tre mesi. Il soggiorno milanese si prolunga più del previsto.
A Roma, Michelangelo si impegna ad affrescare la volta della Cappella sistina. A Venezia, Giorgione e Tiziano affrescano il fondaco dei Tedeschi.	1508	Vive per un periodo a Firenze e poi ritorna a Milano.
Raffaello è a Roma, dove inizia la decorazione delle Stanze vaticane.	1509	Esegue studi geologici delle valli lombarde.
	1510	Svolge studi di anatomia con Marcantonio della Torre all'Università di Pavia.

AVVENIMENTI STORICI E ARTISTICI		VITA DI LEONARDO
Michelangelo porta a termine gli affreschi sulla volta della Cappella sistina. Gli Sforza tornano a Milano.	1512	
Muore Giulio II. Gli succede Giovanni de' Medici con il nome di Leone X. A Firenze, Andrea del Sarto inizia il ciclo di affreschi con le *Storie della Vergine*. A Milano, Cesare da Sesto con il suo *Battesimo di Cristo* realizza una sintesi tra lo stile di Leonardo e quello di Raffaello.	1513	Parte da Milano per Roma, dove alloggia in Vaticano, nel Belvedere, sotto la protezione di Giuliano de' Medici. Si tratterà nella città per tre anni, occupandosi di studi matematici e scientifici.
A Roma muore Bramante. Raffaello gli succede come architetto della Fabbrica di San Pietro.	1514	Progetti per il prosciugamento delle paludi pontine e per il porto di Civitavecchia.
Francesco I diventa re di Francia. Con la vittoria di Marignano riconquista Milano. Raffaello lavora ai cartoni per gli arazzi della Sistina.	1515	

AVVENIMENTI STORICI E ARTISTICI		VITA DI LEONARDO
Carlo d'Asburgo diventa re di Spagna.	1516	
A Roma, Raffaello e la sua bottega dipingono le Logge in Vaticano e la loggia di Psiche della villa Farnesina.	1517	Si trasferisce ad Amboise, alla corte di Francesco I di Francia. A metà gennaio visita Romorantin con lo stesso re per progettare un nuovo palazzo reale e la canalizzazione della regione della Sologne.
	1518	Partecipa alle celebrazioni per il battesimo del Delfino e per il matrimonio di Lorenzo de' Medici con una nipote di Francesco I.
Carlo V d'Asburgo è eletto imperatore del Sacro romano impero, si apre lo scontro frontale tra la Francia e l'impero. A Parma, Correggio dipinge la camera della Badessa nel convento di San Paolo.	1519	Il 23 aprile redige il suo testamento. Esecutore testamentario è il pittore e amico Francesco Melzi. Muore il 2 maggio. L'atto di inumazione, in data 12 agosto, lo definisce «nobile milanese, primo pittore e ingegniere e architetto del Re, Meccanico di Stato».

Qui sotto: studi sulle lunule (1515 circa), *Codice Atlantico*, f. 455r.

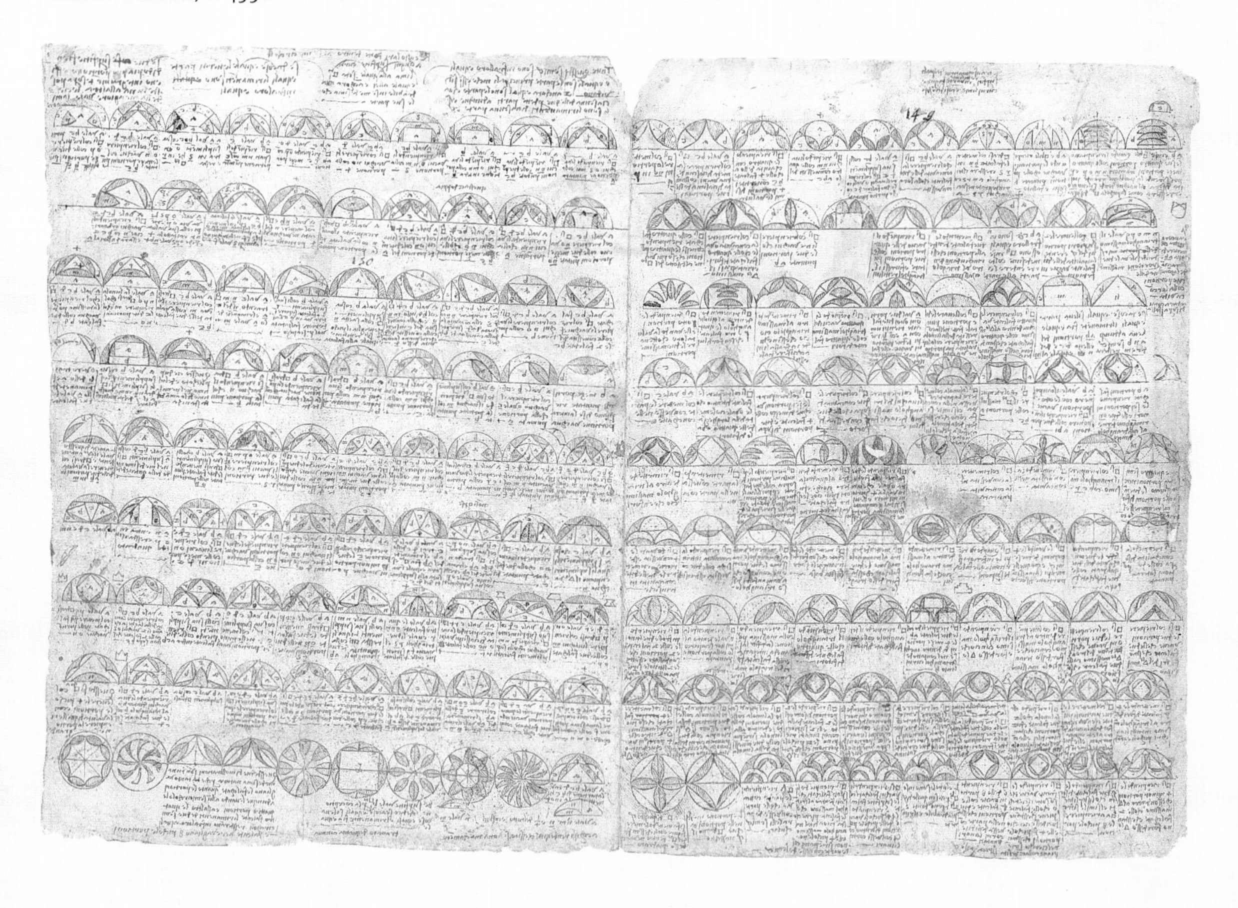

INDICE ANALITICO

I numeri in *corsivo* si riferiscono alle immagini

BIBLIOGRAFIA

Opere di carattere generale:
la sterminata bibliografia leonardesca è raccolta nei venti volumi della *Raccolta vinciana* (Milano 1905-1964) e nella *Bibliografia vinciana*, a cura di E. Verga (Bologna 1931), integrata dal saggio di Ludwig H. Heydenreich sullo "Zeitschrift für bildende Kunst", 1935. Sempre in campo bibliografico, più recente è il contributo di A. Lorenzi e P. Marani con *Bibliografia vinciana 1964-1979* (1979-1982). A Leonardo architetto L. H. Heydenreich ha dedicato una buona parte dei suoi studi. Più recente è il *Leonardo architetto* di C. Pedretti (Milano 1988). Per un inquadramento della cultura artistica fiorentina ai tempi di Leonardo, A. Chastel, *Arte e Umanesimo a Firenze al tempo di Lorenzo il Magnifico. Studi sul Rinascimento e sull'Umanesimo platonico* (trad. it. Torino 1964); AA. VV., *Leonardo. La pittura*, Firenze 1985; P. Marani, *Il Cenacolo di Leonardo*, Milano 1986; P. Marani, *Leonardo. Catalogo completo dei dipinti*, Firenze 1989; J. Shell, *Leonardo*, Londra-Parigi 1992; M. Cianchi, *Leonardo*, Firenze 1996; AA. VV., *Leonardo. Il Cenacolo*, Milano 1999; C. Pedretti, *Leonardo. Le macchine*, Firenze 1999; AA. VV., *Leonardo. Arte e scienza*, Firenze 2000. Per pubblicazioni di carattere divulgativo, ma di alto livello, si vedano le numerose monografie che la rivista "Art e Dossier" (con autori come Pedretti, Chastel, Galluzzi) ha dedicato all'artista.

Studi sui codici:
utili compendi o prontuari sul contenuto e la data dei singoli codici e dei fogli manoscritti sparsi in varie raccolte si trovano nell'antologia in due volumi di J.-P. Richter, *The Literary Works of Leonardo da Vinci*, Londra 1883 e Oxford 1939, aggiornata dagli altri due volumi di C. Pedretti, *Commentary*, Oxford 1977. Esistono studi specializzati sui codici, come quello di G. Calvi, *I manoscritti di Leonardo da Vinci dal punto di vista cronologico, storico e biografico*, Bologna 1925, mentre degli aspetti spesso avventurosi della loro storia si sono occupati diversi studiosi in varie occasioni, soprattutto nelle introduzioni alle edizioni in facsimile, per le quali si può ricorrere alla citata bibliografia del Verga. Una visione contestuale delle vicende e del carattere dei codici si ha con il contributo fondamentale di A. Marinoni, *I manoscritti di Leonardo da Vinci e le loro edizioni*, in *Leonardo. Saggi e ricerche*, Roma 1954, pp. 229-263. Ed è allo stesso Marinoni che è stata affidata la monumentale edizione del *Codice Atlantico*, dei manoscritti di Francia e di altri codici riprodotti in facsimile dalla Giunti di Firenze nel programma dell'*Edizione nazionale delle opere di Leonardo*. Due importanti contributi si sono avuti all'estero da parte della Elmer Belt Library of Vinciana presso la University of California di Los Angeles: E. Belt, K. T. Steinitz, *Manuscripts of Leonardo da Vinci. Their History, with a Description of the Manuscript Editions in Facsimile*, Los Angeles 1948 e K. T. Steinitz, *Bibliography of Leonardo da Vinci's Treatise on Painting*, Copenaghen 1958. Una rassegna dei codici che contengono studi di architettura (e quindi quasi tutti) si trova in un'opera di C. Pedretti, *Leonardo da Vinci. The Royal Palace at Romorantin*, Cambridge (Massachusetts) 1972, pp. 138-147. Il primo documento sulla dispersione delle carte di Leonardo custodite nel Cinquecento presso la villa Melzi a Vaprio d'Adda si ha con le *Memorie di don Ambrogio Mazenta* pubblicate in forma critica e con facsimile da L. Gramatica nel 1919. Per la storia dei manoscritti prima della dispersione, e quindi su molti aspetti finora sconosciuti della diffusione delle idee di Leonardo, si rimanda all'introduzione dell'edizione di C. Pedretti e C. Vecce del *Libro di Pittura* compilato sulla base dei manoscritti di Leonardo dall'allievo ed erede Francesco Melzi, riprodotto per la prima volta in facsimile nel programma editoriale vinciano della casa editrice Giunti (1995).

Sui disegni:
il primo studio sui disegni di Leonardo con catalogo ragionato si deve a B. Berenson, *The Drawings of the Florentine Painters*, Londra 1906, ampliato e riveduto nelle successive edizioni di Chicago (1938) e in quella di Milano (1961). Fondamentali gli studi di A. E. Popp, *Leonardo Zeichnungen* (1928), recuperato da K. Clark nel suo catalogo del fondo di Windsor, edito a Cambridge (1935), riveduto e ampliato con l'assistenza di C. Pedretti (Londra 1968-1969). Al Clark risale anche l'idea di un catalogo di tutti i disegni di Leonardo, realizzato da A. E. Popham, *The Drawings of Leonardo da Vinci*, Londra 1946. Dal 1957 si hanno i contributi di C. Pedretti: *Leonardo da Vinci. Fragments at Windsor Castle from the Codex Atlanticus*, Londra 1957; il catalogo dei fogli del *Codice Atlantico* dopo il restauro (Firenze e New York 1978-1979), e l'edizione in facsimile del fondo di Windsor, del quale è già stato pubblicato il corpus degli *Studi anatomici* (1978-1979), quello degli *Studi di natura* (1982) e quello degli *Studi sul cavallo* (1984), un programma svolto in edizione italiana da Giunt, che ha pure pubblicato la serie dei cataloghi di mostre dallo stesso fondo di Windsor a cura di C. Pedretti. Specifico sul *Cenacolo* è il catalogo: *Studi per il Cenacolo dalla Biblioteca Reale nel Castello di Windsor*, a cura di C. Pedretti, Milano 1983. A queste opere si aggiunge ora la serie curata dallo stesso autore che presenta in facsimile i disegni sparsi di Leonardo e della sua scuola conservati in vari fondi: sono stati già pubblicati quelli di Firenze e di Torino (Firenze 1984 e 1990). Problemi particolari nello studio dei disegni sono frequentemente affrontati in periodici come la "Raccolta Vinciana" e l'"Achademia Leonardi Vinci".

Nella pagina a fianco:
Annunciazione (1475-1480), particolare,
Firenze, galleria degli Uffizi.

REFERENZE FOTOGRAFICHE

Archivio Giunti/Foto Rabatti-Domingie: pp. 43; 44; 47; 49; 52; 53a,c; 54a,b; 55a; 57; 78; 96. Archivio storico del cinema/AFE: pp. 118; 119; 121b. Concessione del Ministero per i beni e le attività culturali: pp. 65; 66b; 67.
Foto Alinari: pp. 57, 96. Foto M. Borchi/Atlantide: pp. 10b; 11a; 12a; 14. Foto G. Cozzi/Atlantide: p. 13a. Foto Czartoryski Museum, Cracovia: p. 63. Foto J. Heseltine/Corbis/Grazia Neri: p. 10a. Foto R. Holmes/Corbis/Grazia Neri: pp. 108-109. Foto Erich Lessing/Contrasto: p. 68b. Foto A. Quattrone: p. 61; 93. Foto Rabatti-Domingie: p. 66a. Foto Réunion des Musées Nationaux: p. 98. Le foto per le quali non è data indicazione sono da intendersi Archivio Giunti.